D0540220

## NOTE DE L'ÉDITEUR

*Les volumes de la collection sont imprimés en tres grande série.*

*Un incident technique peut se produire en cours de fabrication et il est possible qu'un livre souffre d'une imperfection qui a pu échapper aux services de contrôle.*

*Dans ce cas, il ne faut pas hésiter à nous le renvoyer. Il sera immédiatement échangé.*

*Les frais de port seront remboursés.*

# LE MIROIR
# DU MORT

# AGATHA CHRISTIE

# LE MIROIR
# DU MORT

TROIS NOUVELLES

TRADUITES DE L'ANGLAIS PAR
PERRINE VERNAY

PARIS
LIBRAIRIE DES CHAMPS-ÉLYSÉES
17, RUE DE MARIGNAN

*Cet ouvrage a paru dans la
collection* LE MASQUE
*sous le titre :*

POIROT RÉSOUT TROIS ÉNIGMES

*Il comprend trois nouvelles :*

# LE MIROIR DU MORT

*(Dead's man mirror)*

# CHAPITRE PREMIER

L'appartement était moderne, le mobilier aussi : fauteuils carrés, chaises anguleuses. Devant la grande table-bureau placée juste devant la fenêtre, un petit homme d'un certain âge était assis, sa tête était la seule chose qui ne fût pas carrée dans la pièce : elle avait la forme d'un œuf.

M. Hercule Poirot lisait une lettre :

*Gare : Whimperley.*     *Hamborough St. Mary.*
*Télégrammes :*     *Hamborough Close.*
*Hamborough S. John*     *Westshire.*

*Monsieur Hercule Poirot.*

                   *24 septembre 1936.*

    *Cher monsieur,*

*Une affaire qui demande à être menée avec beaucoup de tact et de discrétion vient de surgir. On m'a dit beaucoup de bien de vous et j'ai résolu de vous la confier. J'ai des raisons de croire que je suis victime d'une fraude, mais, pour des raisons de famille, je ne tiens pas à appeler la police. Je prends certaines mesures de mon propre chef pour faire face à la situation, mais vous devrez être prêt à venir ici immédiatement au reçu d'un télégramme. Je vous serais reconnaissant de ne pas répondre à cette lettre.*

*Sincèrement vôtre,*

*Gervase Chevenix-Gore.*

Les sourcils de M. Hercule Poirot remontèrent sur son front au point de disparaître presque dans ses cheveux.

— Et qui diable peut être ce Gervase Chevenix-Gore ? murmura-t-il.

Il tira de sa bibliothèque un gros bouquin et trouva facilement ce qu'il cherchait :

*Chevenix-Gore, sir Gervase, Francis, Xavier, 10ᵉ Bt. cr. 1694 ; ex-capitaine 17ᵉ Lancers ; né le 18 mai 1878 ; fils aîné de sir Guy Chevenix-Gore, 9ᵉ Bt., et de lady Claudia Bretherton, 2ᵉ fille du 8ᵉ Earl of Wallingford ; marié 1912 à Wanda Elizabeth, fille aînée du colonel Frederick Arbuthnot, 9.v. ; élevé à Eton. Servi guerre européenne 1914-1918. Distractions : tourisme, chasse gros gibier. Adresse : Hamborough St. Mary, Westshire, et 218 Lowndes Square S.W.1. Clubs : Cavalerie. Travellers.*

Poirot hocha la tête d'un air mécontent et resta un instant perdu dans ses pensées, puis il ouvrit un tiroir de son bureau et en tira une liasse de cartes d'invitations. Son visage s'éclaira.

« *A la bonne heure* (1) ! Voilà exactement mon affaire, il sera certainement là-bas. »

La duchesse accueillit M. Hercule Poirot avec un enthousiasme exagéré.

— Ainsi, vous avez pu vous arranger pour venir, Monsieur Poirot ! C'est magnifique !

— Tout le plaisir est pour moi, madame, murmura Poirot en s'inclinant profondément.

Echappant à diverses personnalités, un diplomate célèbre, une actrice tout aussi renommée, un pair connu pour ses exploits sportifs, il réussit enfin à trouver la personne qu'il était venu chercher : Mr Satterthwaite, un habitué du salon de la duchesse.

Celui-ci l'accueillit en souriant.

— Cette chère duchesse... je suis toujours heureux d'assister à ses réunions... elle a une telle personnalité. Je l'ai beaucoup fréquentée en Corse, il y a des années.

La conversation de Mr Satterthwaite faisait invariablement allusion à ses connaissances titrées, il pouvait éprouver certain plaisir dans la compagnie des Jones, Brown ou Robinson, mais il n'en parlait jamais. Pourtant, le qualifier simplement de snob eût été une injustice, c'était un observateur pénétrant qui savait juger la nature humaine.

— Il y a une éternité que je ne vous ai rencontré, cher ami. Je m'estime toujours privilégié d'avoir pu vous voir à l'œuvre dans l'affaire du Crow's Nest. J'ai l'impression d'être depuis dans le secret des dieux. A

_____

(1) En français dans le texte.

propos, j'ai vu lady Mary, la semaine dernière. Quelle charmante créature...

Après avoir évoqué d'un ton léger les deux ou trois scandales du moment, Poirot réussit à introduire le nom de Gervase Chevenix-Gore dans la conversation.

Mr Satterthwaite mordit immédiatement à l'hameçon.

— Ah ! Chevenix-Gore, voilà un type ! On l'appelle le dernier des baronets... c'est son surnom.

— Pardon... je ne comprends pas très bien.

Mr Satterthwaite se plia avec indulgence à fournir l'explication à un étranger.

— C'est une plaisanterie. Naturellement, il n'est pas véritablement le dernier baronet d'Angleterre, mais il représente la fin d'une époque. Le hardi baronet au cerveau brûlé, si populaire dans les romans du siècle dernier... le genre de garçon qui fait des paris impossibles et les gagne.

Il poursuivit sa description avec plus de détails. Gervase Chevenix-Gore, à peine sorti de l'adolescence, avait entrepris le tour du monde en bateau à voile, fait partie d'une expédition au pôle. Il avait défié un pair à la course, fait gravir à sa jument préférée l'escalier d'un château ducal à la suite d'un pari. Un soir, au théâtre, il avait sauté d'une loge sur la scène et enlevé une actrice connue au beau milieu de son rôle.

Les anecdotes le concernant étaient innombrables.

— C'est une vieille famille, poursuivit Mr Satterthwaite. Sir Guy de Chevenix fit partie de la première Croisade. Mais la lignée va s'éteindre, le vieux Gervase est le dernier des Chevenix-Gore.

— Le domaine a-t-il diminué de valeur ?

— Pas le moins du monde. Gervase est fabuleusement riche. Il possède une grande propriété, des charbonnages ; en outre, il a obtenu, dans sa jeunesse, une concession de mine, quelque part en Amérique du Sud, celle-ci lui a rapporté une fortune. C'est un homme étonnant qui réussit dans toutes ses entreprises.

— Il doit être âgé maintenant !

— Oui, pauvre vieux Gervase, fit en soupirant Mr Satterthwaite, la plupart des gens vous diraient qu'il est complètement cinglé. C'est vrai dans une certaine mesure. Il est fou... non qu'il soit sujet à des hallucinations, et bon à enfermer, mais en ce sens qu'il est anormal. Il a toujours eu une grande originalité de caractère.

— Et l'originalité devint sans doute excentricité avec les années ? dit Poirot.

— C'est exactement ce qui est arrivé au pauvre vieux Gervase.

— Peut-être s'est-il fait une idée exagérée de son importance ?

— Incontestablement. J'imagine que dans l'esprit de Gervase, le monde a toujours été divisé en deux parties : celle des Chevenix-Gore, et celle des autres humains.

— Il a un sens exagéré de la famille !

— Oui. Les Chevenix-Gore sont tous arrogants et se croient tout permis. Gervase, étant le dernier d'entre eux, a hérité de cet orgueil insensé. A l'entendre parler, on pourrait le prendre pour Dieu le père.

Poirot hocha pensivement la tête.

— Cela ne m'étonne pas. J'ai reçu une lettre de lui, lettre assez insolite qui ne me prie pas, mais me somme de venir.

— Ordre du roi ! dit Mr Satterthwaite avec un petit gloussement amusé.

— Précisément. Il n'est pas venu à l'esprit de ce sir Gervase que moi, Hercule Poirot, étant un homme important, occupé par de multiples affaires, il était extrêmement improbable que je pusse tout laisser en plan pour me précipiter chez lui comme un chien obéissant... comme un petit rien du tout trop heureux de recevoir une mission !

Mr Satterthwaite se mordit la lèvre pour réprimer un sourire. Il avait pu s'apercevoir qu'en matière d'égotisme il n'y avait guère de différence entre Hercule Poirot et Gervase Chevenix-Gore.

— Evidemment, si la cause de cette demande est urgente... murmura-t-il.

— Elle ne l'est pas ! fit Poirot en élevant les mains d'un geste emphatique. Je dois me tenir à sa disposition, c'est tout, *au cas* où il aurait besoin de moi ! *Enfin, je vous le demande* (1) !

Un nouveau geste éloquent exprima mieux que des mots n'auraient pu le faire l'outrage ressenti par M. Hercule Poirot.

— J'en conclus que vous avez refusé ? dit Mr Satterthwaite.

— Je n'en ai pas encore eu l'occasion, dit Poirot.

— Mais vous refuserez ?

Une expression nouvelle transforma le visage du petit homme, il fronça les sourcils d'un air perplexe.

— Comment puis-je m'exprimer ? Refuser... Oui, ce fut mon premier mouvement, mais je ne sais plus... On

(1) En français dans le texte.

a parfois une intuition... Il me semble qu'il y a anguille sous roche.

Mr Satterthwaite reçut la déclaration sans manifester aucune ironie.

— Oh ! fit-il. C'est intéressant...

— Il me semble, poursuivit Poirot, qu'un homme tel que vous me l'avez décrit peut être très vulnérable.

— Vulnérable ? s'écria Mr Satterthwaite surpris, car le mot n'était certes pas celui qu'il eût associé avec Gervase Chevenix-Gore.

Mais il avait l'esprit pénétrant, la réflexion rapide. Il ajouta lentement :

— Je crois savoir ce que vous entendez par là.

— Un individu pareil est enfermé dans une armure... et quelle armure ! Celle des croisés n'était rien en comparaison : une armure d'arrogance, d'orgueil, d'amour-propre sans limite. Cette armure est, dans une certaine mesure, une protection. Les flèches de la vie quotidienne ne l'atteignent pas... mais un danger subsiste : un homme ainsi cuirassé peut parfois ne pas même s'apercevoir qu'il est attaqué. Il est lent à voir, lent à entendre, et encore plus lent à sentir.

Il s'interrompit et, changeant de ton, demanda :

— De quoi se compose la famille de sir Gervase ?

— Il y a Wanda, sa femme. C'était une Arbuthnot, une très jolie jeune fille qui est encore une très belle femme, mais toujours dans le vague. Très dévouée à Gervase, elle donne depuis quelque temps dans l'occultisme, elle porte des amulettes, des scarabées et laisse entendre qu'elle est la réincarnation d'une reine d'Egypte... Puis il y a Ruth, leur fille adoptive. Ils n'ont pas d'enfants. C'est une jeune personne séduisante dans le genre moderne. Voilà toute la famille, à l'exception, naturellement, d'Hugo Trent, le neveu de Gervase. Pamela Chevenix-Gore avait épousé Reggie Trent et Hugo fut leur fils unique. Il est orphelin et ne peut pas hériter du titre, bien entendu, mais je crois que c'est lui qui aura la plus grosse part de la fortune de Gervase. C'est un beau garçon, il est dans la cavalerie de la Maison du Roi.

— Sir Gervase doit être désolé de ne pas avoir de fils pour hériter de son nom, dit Poirot.

— J'imagine qu'il en est profondément affecté.

— Le culte du nom est-il chez lui une véritable passion ?

— Oui.

Mr Satterthwaite, très intrigué, demanda après un assez long silence :

— Vous voyez une raison particulière pour vous rendre à Hamborough Close ?

Poirot hocha lentement la tête.

— Non, dit-il, pour autant que je puis en juger, il n'y en a aucune, mais, tout de même, je crois que je m'y rendrai.

CHAPITRE II

Hercule Poirot, installé dans un compartiment de première classe, tira de sa poche un télégramme soigneusement plié et le relut attentivement :

*Prenez train quatre heures trente St. Pancras. Recommandez chef train arrêter express à Whimperley.*

*Chevenix-Gore.*

Il replia la dépêche et l'empocha.

Le chef de train s'était montré obséquieux : le gentleman allait à Hamborough Close ? Oh ! certainement, on arrêtait toujours l'express à Whimperley pour les invités de sir Gervase Chevenix-Gore. « C'est là une sorte de prérogative particulière, monsieur. »

Depuis, le chef de train était venu par deux fois, la première pour s'assurer que le compartiment avait bien été réservé à ce seul voyageur et la seconde pour lui annoncer que l'express avait dix minutes de retard.

Il était huit heures deux lorsque Hercule Poirot descendit sur le quai de la petite gare, après avoir déposé dans la main du prévenant chef de train la demi-couronne attendue.

La locomotive siffla et le Nord-Express s'ébranla de nouveau. Un grand chauffeur en livrée verte s'avança :

— Monsieur Poirot ? Pour Homborough Close ?

Il s'empara de la valise du détective et le conduisit hors de la gare où une grande Rolls l'attendait. Poirot y monta et le chauffeur lui étendit une somptueuse couverture de fourrure sur les genoux.

Après avoir roulé une dizaine de minutes dans des chemins sinueux, la voiture franchit une porte monumentale flanquée d'énormes griffons de pierre. Ils traversèrent le parc et montèrent vers la maison. Un imposant maître d'hôtel ouvrit la porte.

— Monsieur Poirot ? Par ici, monsieur.

Le précédant, il ouvrit une porte située vers le milieu du hall, à droite, et annonça :

— M. Hercule Poirot.

Un certain nombre de personnes en tenue de soirée étaient rassemblées dans la pièce. Poirot s'aperçut aussitôt que sa venue n'était pas attendue. Tous les regards s'étaient tournés vers lui, sans dissimuler leur surprise.

Une grande femme, dont la chevelure noire était parsemée de fils d'argent, s'avança vers lui d'un pas incertain.

— Mes excuses, madame, dit Poirot en s'inclinant, je crains que mon train n'ait eu du retard.

— Pas du tout, fit vaguement lady Chevenix-Gore en le fixant d'un air perplexe, pas du tout, M... Je n'ai pas très bien entendu...

— Hercule Poirot.

Il avait prononcé distinctement son nom, quelqu'un derrière lui eut un hoquet de surprise et, au même instant, il comprit que son hôte ne devait pas se trouver dans la pièce.

— Vous saviez que je devais venir, madame ? dit-il doucement.

— Oh... oui... je crois... Je le suppose du moins, mais je suis terriblement étourdie, monsieur Poirot, dit-elle d'un ton qui indiquait une sorte de mélancolique délectation. On me dit des choses, je parais les entendre, mais elles ne font que passer à travers ma tête et disparaissent comme si elles n'avaient jamais existé.

Puis, de l'air de quelqu'un accomplissant un devoir trop longtemps négligé, elle jeta un vague coup d'œil circulaire, et ajouta :

— J'espère que vous connaissez tout le monde.

Ceci n'étant manifestement pas le cas, la phrase n'était qu'une formule dont se servait habituellement lady Chevenix-Gore pour s'épargner l'ennui des présentations et la fatigue de se souvenir des véritables noms.

Dans un suprême effort pour pallier les difficultés du cas présent, elle ajouta :

— Ma fille Ruth.

La jeune fille qui se tenait devant lui était également grande et brune, mais d'un type tout différent. Au lieu des traits indécis de lady Chevenix-Gore, elle avait un nez bien dessiné, légèrement aquilin, et un menton ferme. Ses cheveux noirs, bouclés, rejetés en arrière, dégageaient son front pur. La fraîcheur de son teint ne devait presque rien au maquillage. Hercule Poirot l'apprécia comme l'une des plus jolies filles qu'il ait vues.

Il s'avisa bientôt qu'elle devait être aussi intelligente que belle et ne manquait ni de fierté ni de caractère. Sa voix, lorsqu'elle lui adressa la parole, avait un accent traînant, comme volontairement affecté, qui le frappa.

— Comme c'est passionnément intéressant de recevoir M. Hercule Poirot ! dit-elle. Papa a sans doute voulu nous faire une petite surprise.

— Ainsi, vous ne saviez pas que je devais venir, mademoiselle ? dit-il vivement.

— Je n'en avais pas la moindre idée. Les choses étant ainsi, je dois attendre après dîner pour aller chercher mon livre d'autographes.

Le gong sonna dans le hall, le maître d'hôtel ouvrit la porte et annonça :

— Le dîner est servi.

Le dernier mot à peine prononcé, un changement

curieux transforma le cérémonieux domestique en un
être pétrifié d'étonnement.

La métamorphose fut si rapide et le masque du parfait serviteur fut si rapidement repris, que personne, à
moins de l'avoir regardé à ce moment précis, n'aurait pu
s'apercevoir du changement. Mais Poirot l'avait
remarqué.

Le maître d'hôtel hésitait. Bien que son visage fût
correctement dénué d'expression, son attitude exprimait une certaine tension.

— Oh ! mon Dieu ! s'écria lady Chevenix-Gore.
C'est tout à fait étrange. On ne sait vraiment que
faire.

Ruth se tourna vers Poirot.

— Cette singulière consternation, monsieur Poirot,
est occasionnée par le fait que, pour la première fois
depuis au moins vingt ans, mon père est en retard pour
dîner.

— C'est tout à fait extraordinaire ! gémit
lady Chevenix-Gore. Gervase n'est jamais...

Un homme d'un certain âge, à l'allure militaire,
s'approcha d'elle et se mit à rire.

— Ce bon vieux Gervase ! Le voilà enfin en retard,
nous allons pouvoir le taquiner ! Quelque bouton de col
récalcitrant doit en être la cause, ou Gervase serait-il à
l'abri de nos petits ennuis habituels ?

— Mais Gervase n'est *jamais* en retard, dit
lady Chevenix-Gore d'une voix sourde et mal assurée.

Cette consternation causée par un simple contre-
temps était presque comique... sauf pour Hercule Poirot
qui, sous l'étonnement, percevait le malaise... Peut-être
même l'appréhension. Lui aussi trouvait étrange que

Gervase Chevenix-Gore ne soit pas venu accueillir l'invité qu'il avait appelé d'une si mystérieuse façon.

D'autre part, il était évident que personne ne savait que faire. Une situation sans précédent avait surgi, on ne savait comment y faire face.

Finalement, lady Chevenix-Gore prit l'initiative... si tant est que l'on puisse appeler cela ainsi, car son attitude restait extrêmement indécise.

— Snell, dit-elle, est-ce que votre maître...

Sans terminer sa phrase, elle regarda le maître d'hôtel ; celui-ci devait être habitué aux façons de sa maîtresse, car il répondit aussitôt :

— Sir Gervase est descendu à huit heures moins cinq, madame, il s'est rendu directement dans son bureau.

— Oh ! je vois...

Elle resta bouche ouverte, le regard perdu.

— Vous ne pensez pas... Je veux dire qu'il a dû entendre le gong ?

— Certainement, madame, puisque le gong se trouve immédiatement à côté de la porte du bureau. Je ne savais pas, bien entendu, que sir Gervase était encore dans son bureau, sans quoi je lui aurais annoncé que le dîner était servi. Dois-je le faire maintenant, madame ?

Lady Chevenix-Gore saisit la suggestion avec un évident soulagement.

— Oh ! merci, Snell. Allez-y, je vous prie.

Le maître d'hôtel parti, elle ajouta :

— Snell est un véritable trésor, je me repose entièrement sur lui, je ne sais vraiment pas ce que je ferais sans Snell.

Quelqu'un murmura un assentiment, mais personne

ne parla. Hercule Poirot, en observant cette pièce pleine
de monde avec une attention plus aiguë, remarqua que
tous, sans exception, étaient dans un état d'extrême
tension. Il les parcourut du regard en essayant de les
cataloguer : deux hommes d'un certain âge, celui à
l'allure militaire qui venait de parler, et l'autre, très
mince, aux cheveux grisonnants, aux lèvres pincées,
l'aspect d'un homme de loi. Deux jeunes gens de type
très différent, l'un portant moustache, l'air arrogant
sans excès, qu'il supposa être le neveu de sir Gervase,
celui qui faisait partie de la cavalerie de la Maison du
Roi. L'autre aux cheveux gominés rejetés en arrière,
fort beau garçon, appartenait évidemment à une classe
sociale inférieure. Il y avait une petite femme entre
deux âges portant lorgnon, au regard intelligent, et une
jeune fille aux cheveux d'un roux ardent.

Snell parut sur le seuil de la porte. Sous son allure
correcte de domestique stylé perçait l'inquiétude de
l'être humain.

— Excusez-moi, madame, la porte du bureau est
fermée à clé.

— Fermée à clé ?

C'était la voix d'un homme, jeune, alerte, surexcité.
C'était le beau garçon aux cheveux gominés qui avait
parlé. Il ajouta en s'élançant vers la porte.

— Voulez-vous que j'aille voir ?

Mais, avec beaucoup de calme, Hercule Poirot prit la
situation en main, il le fit si naturellement que personne
ne trouva bizarre que cet étranger nouvellement arrivé
prenne ainsi le commandement.

— Venez, dit-il. Allons au bureau. Veuillez nous
conduire, ajouta-t-il en s'adressant à Snell.

Le maître d'hôtel en tête, Poirot immédiatement

après et les autres suivant comme un troupeau de moutons longèrent le vaste hall ; passant au pied du grand escalier, puis devant une énorme horloge et un renfoncement dans lequel se trouvait un gong, ils s'engagèrent dans un étroit corridor au bout duquel se trouvait une porte.

Poirot, dépassant Snell, fit tourner doucement la poignée de la porte, mais celle-ci ne s'ouvrit pas. Il frappa à plusieurs reprises, de plus en plus fort, toujours sans succès. Ce que voyant, il mit un genou en terre et colla un œil au trou de la serrure.

Poirot se releva lentement et se retourna.

— Messieurs, dit-il d'un air grave, il faut enfoncer cette porte immédiatement !

Sous sa direction, les deux jeunes gens qui étaient grands et bien bâtis se mirent à l'œuvre. La tâche n'était pas facile, les portes de Hamborough Close étaient solides.

La serrure céda enfin et le battant s'ouvrit avec un craquement sonore.

Pendant un instant, tous restèrent pétrifiés sur le seuil de la pièce, effarés par le spectacle qui s'offrait à leur vue. L'électricité était allumée, le long du mur de gauche, il y avait une énorme table à écrire en acajou massif. Assis, non devant la table, mais de côté par rapport à elle, de sorte que son dos était tourné vers eux, se trouvait un homme de haute taille écroulé dans un fauteuil. Sa tête et le haut du corps étaient affalés sur le côté droit du siège et son bras droit pendait mollement. Juste en dessous de sa main, sur le tapis, un petit revolver brillait...

Point besoin de s'interroger, le tableau ne soulevait

aucun problème. Il était évident que sir Gervase Chevenix-Gore venait de se suicider.

## CHAPITRE III

Le groupe, immobile, fixa un long moment la scène en silence, puis Poirot s'avança dans la pièce au moment où Hugo Trent s'écriait :

— Mon Dieu ! L'ancêtre s'est suicidé !

Lady Chevenix-Gore poussa un long gémissement.

— Oh ! Gervase... Gervase...

Poirot tourna vivement la tête.

— Emmenez lady Chevenix-Gore. Elle ne peut être utile ici, dit-il.

L'homme à l'allure militaire obéit.

— Venez, Wanda, dit-il. Venez, ma pauvre chère amie, vous ne pouvez plus rien pour lui, tout est fini. Ruth, accompagnez votre mère.

Mais Ruth Chevenix-Gore avait pénétré dans la pièce et se tenait à côté de Poirot, qui se penchait vers le mort, un homme de taille herculéenne portant la barbe d'un Vicking.

— Etez-vous certain qu'il est mort ? demanda-t-elle d'une voix bizarrement voilée.

Poirot leva les yeux.

Le visage de la jeune fille reflétait une émotion sévèrement contenue et refoulée qu'il ne comprenait pas très bien. Ce n'était pas de la douleur, mais plutôt une sorte de surexcitation mêlée d'effroi.

— Votre mère, ma chère enfant, murmura la petite femme au lorgnon. Ne croyez-vous pas ?...

— Alors, glapit la jeune rousse d'une voix suraiguë, ce n'était ni une voiture, ni un bouchon de champagne que nous avons entendu. C'était un coup de revolver...

Poirot se retourna, face au groupe.

— L'un de vous doit prévenir la police...

— Non ! s'écria Ruth Chevenix-Gore avec violence.

L'individu âgé, qui paraissait être un homme de loi, intervint.

— Je crains que ce ne soit inévitable. Voulez-vous vous en occuper Burrows ? Hugo...

Poirot se tourna vers le grand jeune homme portant moustache.

— Vous êtes Mr Hugo Trent ? Il serait préférable, je crois, que tout le monde s'en aille, à l'exception de vous et de moi.

De nouveau, son autorité ne fut pas mise en question. L'homme de loi entraîna tous les autres. Poirot et Hugo Trent restèrent seuls. Ce dernier dit aussitôt :

— Qui êtes-vous donc ? Je n'en ai pas la moindre idée et que faites-vous ici ?

Poirot tira une carte de sa poche et la lui montra.

— Oh ! un détective privé ! J'ai entendu parler de vous, bien entendu... mais je ne vois toujours pas ce que vous faites ici.

— Vous ne saviez pas que votre oncle... car c'est bien votre oncle, n'est-ce pas ?

— L'ancêtre ? Oui, c'était bien mon oncle.

— Vous ignoriez qu'il m'avait prié de venir ?

Hugo secoua la tête.

— Je n'en avais pas la moindre idée.

Sa voix vibrait d'une émotion assez difficile à définir, alors que son visage paraissait pétrifié, stupide...

« Le genre d'expression, pensa Poirot, qui devient un masque très utile en cas de trouble. »

— Nous sommes en Westshire, je crois, reprit doucement Poirot. Je connais très bien votre commissaire de police, le major Riddle.

— Riddle habite à un demi-mille d'ici. Il viendra probablement lui-même.

— Tant mieux, dit Poirot, cela facilitera les choses.

Il se mit à rôder autour de la pièce, tira les rideaux et examina les portes-fenêtres qui étaient fermées.

Sur le mur, derrière le bureau, il y avait un miroir rond dont la glace était brisée. Poirot se baissa et ramassa un petit objet.

— Qu'avez-vous trouvé ? demanda Hugo Trent.

— La balle.

— Elle a traversé sa tête de part en part et est allée frapper le miroir ?

— On le dirait.

Poirot remit soigneusement la balle où il l'avait trouvée et s'approcha du bureau. Quelques papiers, méthodiquement classés, y étaient empilés. Sur le buvard se trouvait une feuille de papier portant le mot : *PARDON*, écrit en majuscules d'imprimerie d'une main tremblante.

— Il a dû écrire cela juste avant de se tuer, dit Hugo.

Poirot inclina la tête sans répondre. Il regarda alternativement le miroir et le mort d'un air perplexe. Puis il s'approcha de la porte qui pendait de côté avec sa serrure arrachée. Celle-ci ne comportait pas de clé. Il le savait déjà, sans quoi il n'aurait pas pu voir à travers le trou — et elle n'était pas tombée sur le parquet. Poirot revint près du mort et tâta ses vêtements.

— Oui, dit-il. La clé est dans sa poche.

Hugo alluma une cigarette.

— Tout paraît très clair, dit-il d'une voix rauque. Mon oncle s'est enfermé ici, a griffonné ce message sur une feuille de papier et s'est tiré une balle dans la tête.

Poirot approuva d'un signe.

— Mais je ne comprends pas pourquoi il vous a fait venir, poursuivit-il. De quoi s'agit-il ?

— C'est plus difficile à expliquer. Mais pendant que nous attendons la police, Mr Trent, peut-être consentiriez-vous à me dire qui sont exactement les personnes que j'ai vues à mon arrivée ici ?

— Qui elles sont ? fit Hugo d'un air distrait. Oh ! oui, naturellement, excusez-moi. Allons nous asseoir, voulez-vous ?

Il indiqua du geste un canapé situé dans l'angle le plus éloigné du cadavre et reprit d'un ton saccadé :

— Il y a ma tante Wanda, et ma cousine Ruth, mais vous les connaissez. L'autre jeune fille est Susan Cardwell, une invitée ; le colonel Bury, un vieil ami de la famille, et Mr Forbes, également un vieil ami, qui est en même temps le notaire de la famille. Ces deux vieux types ont eu une véritable passion pour Wanda quand elle était jeune et continuent à l'entourer d'une affection fidèle et d'un dévouement total. C'est ridicule, mais assez touchant. Il y a ensuite Godfrey Burrows, le secrétaire de mon oncle, et miss Lingard qui est ici pour lui aider à écrire l'histoire des Chevenix-Gore. Elle fait des recherches historiques pour les écrivains. C'est tout, je crois.

— Si j'ai bien compris, vous avez entendu le coup de feu qui a tué votre oncle ?

— Oui, nous l'avons entendu. J'ai pensé qu'il s'agissait d'un bouchon de champagne ; Susan et miss Lingard croyaient plutôt à la pétarade d'une auto... La route passe tout près d'ici.

— Quand cela s'est-il produit ?

— A environ huit heures dix. Snell venait de frapper sur le gong.

— Où vous trouviez-vous lorsque vous l'avez entendu ?

— Dans le hall. Et nous en avons plaisanté en nous disputant sur la provenance du bruit. Je prétendais qu'il venait de la salle à manger, Susan qu'il venait de la direction du salon, miss Lingard opinait plutôt pour le premier étage et Snell affirmait que le bruit, produit à l'extérieur, était arrivé jusqu'à nous par les fenêtres du premier étage. Susan s'écria : « Pas d'autres hypothèses ? » et je prétendis en riant qu'il y avait toujours celle du crime ! C'est assez pitoyable de se rappeler cela maintenant.

Des tics nerveux bouleversaient son visage.

— Aucun de vous n'a pensé que sir Gervase avait pu se suicider ?

— Certainement pas.

— Et vous n'avez pas idée de ce qui a pu l'amener à se supprimer ?

— Oh ! dit lentement Hugo, je ne dirais pas cela.

— Vous avez donc une idée ?

— Oui... mais pas très claire. Naturellement, je ne m'attendais pas à ce qu'il se suicide, mais, malgré tout, je n'en suis pas extrêmement surpris. La vérité est que mon oncle était fou à lier, monsieur Poirot. Tout le monde le savait.

— Et cela vous paraît une explication suffisante ?

— C'est qu'il faut être un peu cinglé pour se tuer !

— Voilà une conclusion d'une admirable simplicité.

Hugo ouvrit de grands yeux.

Poirot se leva et erra sans but dans la pièce. Elle était confortablement meublée dans le style victorien : bibliothèques massives, énormes fauteuils, chaises à hauts dossiers authentiques Chippendale. Peu de bibelots, mais quelques bronzes sur la cheminée attirèrent l'attention de Poirot et forcèrent apparemment son admiration, car il les souleva un par un et les examina avec soin avant de les remettre en place. Sur l'un d'eux, à l'extrême gauche, il détacha quelque chose avec son ongle.

— Qu'est cela ? demanda Hugo.

— Rien d'extraordinaire. Un minuscule morceau de glace.

— Bizarre que ce miroir ait été brisé par la balle. Un miroir brisé est signe de malheur. Pauvre vieux Gervase... Je suppose que sa chance avait duré trop longtemps.

— Votre oncle était veinard ?

Hugo eut un rire bref.

— Sa chance était proverbiale ! Tout ce qu'il touchait se transformait en or ! S'il pariait sur un outsider, celui-ci arrivait dans un fauteuil. Prenait-il des actions d'une mine discutable, on y découvrait un filon immédiatement ! Il a échappé aux plus grands dangers et a été sauvé par miracle d'innombrables fois. C'était un rude lapin, vous savez. Il avait circulé à travers le vaste monde et vu plus de choses que la plupart des gens de sa génération.

Poirot murmura sur le ton de la conversation :

— Vous étiez très attaché à votre oncle, Mr Trent ?

Hugo Trent parut saisi par la question.

— Oh !... certainement, dit-il d'un ton indécis. Il se montrait parfois difficile et ce n'était pas drôle de vivre avec lui. Heureusement, nous n'avions pas beaucoup de contacts.

— Avait-il de l'affection pour vous ?

— Il n'en montrait certes pas ! En fait, mon existence lui déplaisait, si l'on peut dire.

— Comment cela, Mr Trent ?

— C'est que, voyez-vous, il n'avait jamais eu de fils et en était profondément affecté. Il avait la passion de la famille, de la lignée devrais-je dire, et cela lui fendait le cœur de penser qu'à sa mort les Chevenix-Gore cesseraient d'exister. La famille remonte à la conquête des Normands, mon oncle était le dernier du nom et je suppose qu'à son point de vue c'était lamentable.

— Vous ne partagez pas ce sentiment ?

Hugo haussa les épaules.

— Ce genre de sentiment me paraît assez démodé.

— Qu'adviendra-t-il du domaine ?

— Je n'en sais rien. Il peut me revenir, à moins qu'il ne l'ait légué à Ruth. Mais il est probable que Wanda le possédera sa vie durant.

— Votre oncle n'a pas défini clairement ses intentions ?

— Il avait son idée de derrière la tête.

— Quelle idée ?

— Il désirait que Ruth et moi nous nous épousions.

— Cela aurait été incontestablement très convenable.

— Eminemment convenable, mais Ruth envisage autrement son existence. C'est une jeune fille extrêmement séduisante et elle le sait. Aussi n'est-elle pas pressée de se marier.

Poirot se pencha vers le jeune homme.

— Mais vous auriez été consentant, Mr Trent ?

— Oh ! moi, répondit-il d'un ton excédé, je ne vois pas quelle différence cela fait d'épouser une personne ou une autre aujourd'hui, le divorce est si facile. Si cela ne marche pas, rien de plus aisé que de couper les liens et de repartir à nouveau.

La porte s'ouvrit. Forbes entra, accompagné d'un homme de haute taille tiré à quatre épingles.

Ce dernier salua Trent.

— Mon pauvre Hugo, je suis désolé de ce qui s'est passé. C'est très dur pour vous tous.

Hercule Poirot s'avança.

— Comment allez-vous, major Riddle ? Vous souvenez-vous de moi ?

— Certainement. (Le commissaire lui serra la main.) Ainsi, vous voilà ici !

Il regarda Hercule Poirot avec curiosité.

## CHAPITRE IV

— Eh bien ? dit le major Riddle.

On était vingt minutes plus tard. La question du commissaire s'adressait au médecin de la police, un homme très mince, aux cheveux grisonnants.

Ce dernier haussa les épaules.

Il est mort depuis plus d'une demi-heure, mais pas plus d'une heure. Je vous épargne les détails techniques dont vous n'avez pas besoin. L'homme a été tué par une balle qui lui a traversé la tête de part en part, l'arme étant placée à quelques pouces de la tempe droite.

— Ce qui est parfaitement compatible avec un suicide.

— Oh ! parfaitement. Le corps s'est écroulé dans le fauteuil et le revolver lui a échappé de la main.

— Avez-vous trouvé la balle ?

— Oui.

Le docteur la montra.

— C'est parfait, dit le major Riddle. Nous la conserverons pour la comparer avec l'arme. Je suis heureux que le cas soit net et n'offre aucune difficulté.

Hercule Poirot s'avança.

— Etes-vous certain qu'il n'y a aucune particularité, docteur ? demanda-t-il doucement.

— Eh bien ! je suppose que l'on pourrait trouver un détail un peu étrange. Il a dû se pencher légèrement à droite pour se tuer, sans quoi la balle aurait heurté le mur en dessous du miroir au lieu de l'atteindre en plein milieu.

— C'est une position bien inconfortable pour se suicider, dit Poirot.

Le docteur haussa les épaules.

— Oh ! le confort... quand on a décidé d'en finir...

— Peut-on enlever le corps maintenant ? demanda le major Riddle.

— Certainement. Je n'en ai plus besoin jusqu'à l'autopsie.

— Qu'en dites-vous, inspecteur ? demanda le major Riddle à un policier en civil.

— O. K. ! monsieur. Nous avons tout ce que nous désirions, il ne reste que les empreintes du mort à relever sur le revolver.

— Alors, vous pouvez disposer.

Les restes mortels de Gervase Chevenix-Gore ayant été enlevés, le commissaire et Poirot restèrent seuls.

— Eh bien ! dit Riddle, tout semble très clair : porte fermée à clé, fenêtre verrouillée, clé dans la poche du mort. Tout est net, sauf une circonstance.

— Laquelle, mon ami ? demanda Poirot.

— Vous ! dit brusquement Riddle. Que faites-vous ici ?

Pour toute réponse, Poirot lui tendit la lettre et le télégramme, causes de sa présence.

— Hum ! fit le commissaire. C'est intéressant. Il faudra aller au fond des choses, car elles ont sûrement une portée directe sur le suicide.

— Tout à fait d'accord.

— Il faut vérifier qui se trouve dans la maison.

— Je puis vous dire leurs noms, Mr Trent m'a mis au courant.

Il en donna la liste.

— Le major Riddle et vous-même devez les connaître de réputation.

— Oui, j'en ai entendu parler, naturellement. Lady Chevenix-Gore est, à sa manière, tout aussi folle que le vieux Gervase. C'est la créature la plus imprécise du monde, mais qui peut à l'occasion faire preuve d'une clairvoyance extraordinaire. Les gens se moquent d'elle, je crois qu'elle le sait et ne s'en soucie pas. Elle n'a absolument aucun sens de l'humour.

— Miss Chevenix-Gore n'est que leur fille adoptive, si j'ai bien compris ?

— Oui.

— C'est une très belle jeune fille.

— Elle est bougrement séduisante et a fait des ravages parmi les jeunes gens des environs. Elle les encourage tous, puis fait volte-face et se moque d'eux. C'est une excellente cavalière, elle est très adroite.

— Ceci ne nous concerne pas pour le moment.

— En effet. Eh bien ! quant aux autres, je connais le vieux Bury, naturellement. Il passe la plupart de son temps ici, c'est le familier de la maison, le chevalier servant de lady Chevenix-Gore, un vieil ami de toujours. Je crois que sir Gervase et lui ont eu des intérêts communs dans une compagnie dont Bury était le directeur.

— Et Oswald Forbes, savez-vous quelque chose de lui ?

— Je crois l'avoir rencontré une fois.

— Et miss Lingard ?

— Une inconnue pour moi !

— Miss Susan Cardwell ?

— Une jolie rousse ? Je l'ai vu se promener avec Ruth Chevenix-Gore ces derniers jours.

— Mr Burrows ?

— Je le connais. C'est le secrétaire de Chevenix-Gore. Entre nous, il ne me plaît pas beaucoup. Il est beau garçon et le sait, mais il ne sort pas de la cuisse de Jupiter.

— Etait-il depuis longtemps avec sir Gervase ?

— Depuis deux ans, je crois.

— N'y a-t-il personne d'autre ?...

Poirot s'interrompit, un grand jeune homme blond, tout essoufflé, pénétrait brusquement dans la pièce. Il paraissait très ému.

— Bonsoir, major Riddle. J'ai entendu dire que sir Gervase s'était suicidé et je me suis précipité ici. Snell me confirme le fait. C'est invraisemblable, je ne puis y croire !

— C'est malheureusement vrai, Lake. Permettez-moi de vous présenter : le capitaine Lake, qui gère la propriété de sir Gervase, M. Hercule Poirot, dont vous avez peut-être entendu parler.

Le visage de Lake refléta une sorte de ravissement incrédule.

— Monsieur Hercule Poirot ? Je suis enchanté de faire votre connaissance. Du moins (le charmant sourire disparut pour faire place à un trouble manifeste) ce suicide n'a rien de louche, j'espère, monsieur ?

— Pourquoi aurait-il quelque chose de « louche » comme vous dites ? répliqua vivement le commissaire.

— Parce que M. Poirot est ici et que tout cela semble si invraisemblable !

— Non, fit Poirot, ma présence ici n'a pas pour cause

la mort de sir Gervase. J'étais déjà dans la maison... à titre d'invité.

— Oh ! je comprends. Mais c'est bizarre qu'il ne m'ait pas parlé de votre venue quand nous avons vérifié les comptes ensemble cet après-midi.

— Vous avez par deux fois prononcé le mot « invraisemblable », capitaine Lake, dit doucement Poirot. Etes-vous donc si surpris d'apprendre que sir Gervase s'est suicidé ?

— Certainement. Il était, sans conteste, fou à lier, tout le monde vous le dirait, mais, tout de même, je ne puis l'imaginer pensant que le monde pourrait continuer sans lui.

— Oui, c'est un argument, dit Poirot, qui regardait le jeune homme et appréciait son air franc et intelligent.

Le major Riddle intervint.

— Puisque vous êtes ici, capitaine Lake, asseyez-vous donc, je voudrais vous poser quelques questions, si vous voulez bien y répondre.

— Certainement, monsieur, dit Lake qui s'assit en face d'eux.

— Quand avez-vous vu sir Gervase pour la dernière fois ?

— Cet après-midi, un peu avant trois heures, nous avons vérifié des comptes et parlé d'un nouveau locataire pour l'une des fermes.

— Combien de temps êtes-vous restés ensemble ?

— Environ une demi-heure.

— Réfléchissez bien et dites-moi si vous avez remarqué quelque chose d'inhabituel dans son comportement.

Le jeune homme considéra la question.

— Non, je ne crois pas, peut-être était-il un peu surexcité, mais cela lui arrivait souvent.

— Il n'était pas déprimé ?

— Oh ! non. Il était plein d'entrain. Il prenait un extrême plaisir à écrire l'histoire de la famille.

— Depuis quand l'avait-il commencée ?

— Depuis environ six mois.

— Quand miss Lingard est venue ici ?

— Non, elle est arrivée il y a deux mois seulement, lorsqu'il s'est aperçu qu'il ne pouvait pas faire lui-même les recherches nécessaires.

— Et vous êtes d'avis que cela l'amusait ?

— Oh ! énormément ! Il était persuadé que rien n'avait d'importance dans le monde, excepté sa famille.

Le ton du jeune homme laissait percer une certaine amertume.

— Alors, d'après vous, sir Gervase n'avait aucun souci ?

Il y eut une légère, très légère pause avant la réponse du capitaine Lake.

— Non.

Poirot s'interposa soudain.

— A votre avis, sir Gervase ne se tourmentait en aucune façon au sujet de sa fille ?

— Sa fille ?

— C'est ce que j'ai dit.

— Pas que je sache, dit le jeune homme d'un ton sec.

Poirot n'insista pas.

— Eh bien ! je vous remercie, Lake, dit le major Riddle. Ne vous éloignez pas trop, au cas où j'aurais besoin de vous poser d'autres questions.

— Certainement, monsieur. (Il se leva). Puis-je faire quelque chose pour vous ?

— Oui, vous pouvez m'envoyer le maître d'hôtel et tâchez donc de savoir si lady Chevenix-Gore est en état de me recevoir en ce moment, ou si elle est encore trop bouleversée.

Le jeune homme, après avoir acquiescé, sortit d'un pas décidé.

— Voilà un garçon sympathique, dit Hercule Poirot.

— Oui, il est très gentil, et fait parfaitement son métier. Tout le monde l'aime.

## CHAPITRE V

— Asseyez-vous, Snell, dit le major Riddle d'un ton amical, j'ai de nombreuses questions à vous poser et je pense que vous venez d'éprouver un grand choc.

— Oui, monsieur ; merci, monsieur, dit Snell qui prit un siège avec une extrême discrétion.

— Vous êtes ici depuis longtemps, n'est-ce pas ?

— Seize ans, monsieur ; depuis que sir Gervase s'est fixé, si l'on peut dire.

— Ah ! oui, naturellement, votre maître était un grand voyageur dans son temps.

— Oui, monsieur ; il a fait partie d'une expédition au pôle nord et a visité bien des pays.

— Pouvez-vous me dire à quel moment vous avez vu votre maître pour la dernière fois ce soir ?

— J'étais dans la salle à manger, surveillant les derniers préparatifs, la porte était ouverte, j'ai vu sir Gervase descendre l'escalier, traverser le hall et s'engager dans le couloir qui mène à son bureau.

— Quelle heure était-il ?

— Environ huit heures moins cinq.

— Et vous ne l'avez pas revu ensuite ?

— Non, monsieur.

— Avez-vous entendu la détonation ?

— Oh ! oui, monsieur ; mais, naturellement, il ne m'est pas venu à l'idée... Comment l'aurais-je pu ?

— Qu'avez-vous pensé alors ?

— J'ai cru qu'elle provenait d'une voiture, monsieur. La route longe le mur du parc, cela aurait pu être aussi un coup de fusil dans le bois... Quelque braconnier en maraude. Je n'ai pas imaginé...

Le major Riddle l'interrompit :

— Répétez-moi l'heure, mais très exactement.

— Huit heures huit minutes, monsieur.

— Comment pouvez-vous fixer le temps à une minute près ? riposta vivement le major.

— C'est facile, monsieur : je venais de frapper le premier coup de gong.

— Le premier coup de gong ?

— Oui, monsieur. Selon les ordres de sir Gervase, on devait toujours frapper le gong sept minutes avant celui du dîner. Il exigeait que tout le monde soit rassemblé au salon lors du second coup. Dès que j'avais frappé ce second coup, j'entrais au salon pour annoncer le dîner et tout le monde passait à la salle à manger.

— Je commence à comprendre pourquoi vous avez

paru si étonné en venant annoncer le dîner, dit Hercule
Poirot. D'ordinaire, sir Gervase se trouvait au salon ?

— Il n'avait jamais manqué d'y être, j'en ai eu un
véritable choc, je n'aurais jamais pensé...

Le major Riddle coupa habilement la réplique.

— Et tous les autres se trouvaient aussi au salon
habituellement ?

Snell toussa.

— Quiconque était en retard pour dîner, monsieur,
n'était plus jamais invité à la maison.

— Hum ! C'est bien rigoureux.

— Sir Gervase employait un chef qui fut au service
de l'empereur de Moravie, celui-ci prétendait que le
dîner était aussi important qu'un rite religieux.

— Qu'en disait sa propre famille ?

— Lady Chevenix-Gore tenait particulièrement à ne
pas le contrarier, monsieur, et miss Ruth elle-même
n'aurait pas osé être en retard.

— C'est intéressant, murmura Hercule Poirot.

— Je comprends, dit Riddle, de sorte que le dîner
étant à huit heures un quart, vous avez frappé le premier coup de gong à huit heures huit comme d'habitude ?

— Oui, monsieur, mais pas comme d'habitude. Le
dîner est ordinairement à huit heures, mais sir Gervase
avait donné l'ordre de le retarder d'un quart d'heure,
car il attendait un invité par le dernier train.

Snell fit un petit salut en se tournant vers Poirot.

— Votre maître paraissait-il soucieux ou bouleversé
en se rendant à son bureau ?

— Je ne saurais le dire, monsieur. Il était trop loin
pour que je puisse voir son expression, je n'ai fait que
l'apercevoir.

— Etait-il seul en allant à son bureau ?

— Oui, monsieur.

— Et personne n'y est entré après lui ?

— Je n'en sais rien, monsieur. Je suis allé à l'office aussitôt après son passage et y suis resté jusqu'au moment de frapper le premier coup de gong à huit heures huit.

— C'est alors que vous avez entendu le coup de feu ?

— Oui, monsieur.

Poirot intervint pour poser une question.

— D'autres personnes l'ont aussi entendu, n'est-ce pas ?

— Oui, monsieur. Mr Hugo, miss Cardwell et miss Lingard.

— Tous se trouvaient dans le hall ?

— Miss Lingard est sortie du salon, miss Cardwell et Mr Hugo descendaient l'escalier juste à ce moment.

— Ont-ils commenté le fait ? demanda Poirot.

— Mr Hugo a demandé si nous avions du champagne au dîner. Je lui ai dit qu'on devait servir du xérès, du vin du Rhin et du bourgogne.

— Il avait cru que c'était un bouchon de champagne ?

— Oui, monsieur.

— Mais personne n'a pris le bruit au sérieux ?

— Oh ! non, monsieur ; ils sont tous entrés au salon en riant et en bavardant.

— Où se trouvaient les autres membres de la maisonnée ?

— Je n'en sais rien, monsieur.

Le major Riddle tira une arme de sa poche.

— Connaissez-vous ce revolver ?

— Oh ! oui, monsieur. C'est celui de sir Gervase, il le rangeait toujours dans le tiroir de son bureau.

— Est-il chargé habituellement ?

— Je ne sais pas, monsieur.

Le major Riddle posa l'arme et s'éclaircit la voix.

— Et maintenant, Snell, je vais vous poser une question importante. J'espère que vous y répondrez aussi franchement que possible. Connaissez-vous un motif quelconque qui aurait pu pousser votre maître à se suicider ?

— Non, monsieur, je n'en connais aucun.

— Sir Gervase ne vous a pas semblé bizarre ces derniers temps ? Déprimé ou tourmenté ?

Snell toussa d'un air embarrassé.

— Vous m'excuserez de le dire, monsieur, mais sir Gervase avait toujours des manières... qui auraient pu sembler bizarres à des étrangers. C'était un original au plus haut degré.

— Oui, c'est de notoriété publique.

— Les étrangers ne comprenaient pas toujours sir Gervase, dit Snell d'un ton emphatique.

— Je sais. Mais vous n'avez rien remarqué d'inhabituel dans son comportement ?

Le maître d'hôtel hésita.

— Je crois que sir Gervase était tourmenté, monsieur. Pas déprimé, tourmenté.

— Et vous n'avez pas idée de la cause de ses soucis ?

— Non, monsieur.

— Avaient-ils un rapport avec une personne en particulier ?

— Je ne saurais le dire. Ce n'est d'ailleurs qu'une impression personnelle.

Poirot intervint de nouveau.

— Son suicide vous a vivement surpris !

— Oh ! oui, monsieur. Ce fut un terrible choc pour moi. Je n'aurais jamais imaginé une chose pareille.

— Eh bien ! Snell, dit Riddle après avoir consulté Poirot du regard, c'est tout ce que j'ai à vous demander pour le moment. Vous êtes certain de n'avoir rien d'autre à nous signaler... Aucun incident, par exemple, survenu ces jours derniers.

— Absolument rien, monsieur.

— Vous pouvez disposer.

— Merci, monsieur.

En arrivant à la porte, Snell se recula pour laisser passer lady Chevenix-Gore.

Elle portait une sorte de vêtement oriental en soie pourpre et orange, étroitement enroulé autour de son corps. Elle paraissait très calme.

— Lady Chevenix-Gore, dit le major Riddle en se levant brusquement.

— On m'a dit que vous désiriez me parler, alors je suis venue.

— Voulez-vous que nous allions dans une autre pièce ? Celle-ci doit vous être extrêmement pénible.

Elle secoua la tête et s'assit en murmurant :

— Oh ! non, qu'est-ce que cela peut faire ?

— C'est très aimable à vous, lady Chevenix-Gore, de faire abstraction de vos sentiments. Je sais quel choc épouvantable vous avez dû éprouver et...

Elle l'interrompit :

— J'ai éprouvé un choc sur le moment, fit-elle d'un ton très naturel, mais la mort n'existe pas réellement, vous savez, ce n'est qu'un changement. En fait, Gervase est debout derrière votre épaule gauche. Je le vois distinctement.

L'épaule gauche du major Riddle eut un léger frémissement et il considéra lady Chevenix-Gore d'un air de doute.

Elle lui sourit.

— Vous ne me croyez pas, naturellement ! Si peu de personnes en sont capables ! Pour moi, le monde des esprits est aussi réel que le nôtre. Mais, je vous en prie, demandez-moi tout ce que vous voudrez sans vous inquiéter de m'affliger. Je ne suis nullement désolée. Le destin est notre maître, on n'échappe pas à son Karma. Tout concorde... Le miroir... et tout le reste.

— Le miroir, madame ? demanda Poirot.

Elle leva les yeux vers le mur.

— Oui, la glace est brisée, vous le voyez. C'est un symbole. Vous connaissez le poème de Tennyson ? Je le lisais déjà jeune fille sans en comprendre alors le sens ésotérique : *Le miroir s'est fendu de part en part. La malédiction est sur moi ! s'écria la Dame de Shalott.* La malédiction s'est abattue brusquement sur lui. Je crois que la plupart des vieilles familles sont frappées d'anathème... Le miroir s'est brisé, il a su qu'il était condamné. « La malédiction était sur lui ! »

— Mais, madame, ce n'est pas une malédiction qui a brisé le miroir, c'est la balle !

Lady Chevenix-Gore répondit du même ton doux et imprécis.

— C'est la même chose, en vérité... C'était le destin.

— Mais votre mari s'est tué lui-même.

Lady Chevenix-Gore sourit avec indulgence.

— Il n'aurait pas dû faire cela, évidemment. Mais Gervase a toujours été impatient, incapable d'attendre.

Son heure étant venue, il est allé au-devant d'elle. C'est tout simple.

Le major Riddle exaspéré s'éclaircit la voix.

— Alors vous n'avez pas été surprise par ce suicide ? Vous y attendiez-vous donc ?

— Oh ! non, fit-elle en ouvrant de grands yeux. On ne peut pas toujours prévoir l'avenir. Gervase était en vérité un homme très étrange, il ne ressemblait à personne d'autre. C'était l'un des grands réincarnés, je le savais depuis un certain temps et je crois qu'il en était averti. Il trouvait très difficile de s'adapter aux petites habitudes de la vie courante. (Elle regarda vers l'épaule gauche du major.) Tenez, il sourit en ce moment, il nous trouve très stupides, très enfantins, de nous imaginer que la vie est réelle et qu'elle a de l'importance... La vie n'est qu'une des Grandes Illusions.

Le major Riddle, comprenant qu'il engageait une bataille perdue d'avance, demanda en désespoir de cause :

— Vous ne pouvez pas nous aider quant à la raison qui a pu inciter votre mari à se tuer ?

Elle haussa ses minces épaules.

— Les Forces nous dominent... Vous ne pouvez pas comprendre. Vous ne vivez que sur le plan matériel.

Poirot toussa.

— A propos de plan matériel, avez-vous une idée, madame, de la façon dont votre mari a pu disposer de sa fortune ?

— Sa fortune ? Je ne pense jamais à l'argent, fit-elle d'un ton dédaigneux.

Poirot changea de sujet.

— A quelle heure êtes-vous descendue ce soir pour dîner ?

— L'heure ? Qu'est le temps ? Le temps est infini, voilà la réponse.

— Mais votre mari, madame, était, nous a-t-on dit, très exigeant au sujet de l'heure, en particulier pour le dîner.

— Ce cher Gervase, fit-elle en souriant avec indulgence, avait cette manie ridicule de l'exactitude, mais cela le rendait heureux, aussi n'étions-nous jamais en retard.

— Vous trouviez-vous au salon, madame, lorsque le coup de gong a retenti ?

— Non, j'étais dans ma chambre.

— Vous rappelez-vous qui se trouvait au salon quand vous êtes descendue ?

— Presque tout le monde, je crois. Cela a-t-il de l'importance ?

— Peut-être pas, admit Poirot. Autre chose maintenant. Votre mari vous a-t-il jamais dit qu'il soupçonnait être volé ?

Lady Chevenix-Gore ne parut pas très intéressée par la question.

— Volé... non, je ne crois pas.

— Volé... escroqué... dupé, de quelque façon ?

— Non, non, je ne crois pas... Gervase eût été furieux si quelqu'un avait osé faire quelque chose de ce genre.

— En tout cas il ne vous en a rien dit ?

— Non, non, sans quoi je m'en souviendrais.

— Quand avez-vous vu votre mari en vie pour la dernière fois ?

— Il est entré dans ma chambre, comme d'habitude, avant dîner. Ma femme de chambre se trouvait là. Il m'a simplement dit qu'il descendait.

— De quoi a-t-il parlé le plus pendant ces dernières semaines ?

— Oh ! de l'histoire de la famille, qui avançait si bien, paraît-il. Gervase trouvait cette drôle de vieille fille, miss Lingard, absolument précieuse. Elle faisait des recherches pour lui au British Museum. C'est elle qui avait travaillé avec lord Mulcaster pour son livre. Et elle était pleine de tact... Je veux dire qu'elle ne notait pas les mauvaises choses. Après tout, il y a des ancêtres dont il vaut mieux ne pas fouiller le passé. Gervase était très chatouilleux sur la question. Elle m'aidait aussi et m'a rapporté une quantité de renseignements sur Hatshepsut. Je suis une réincarnation de Hatshepsut.

Lady Chevenix-Gore fit cette déclaration avec le plus grand calme.

— Avant cela, poursuivit-elle, j'étais une prêtresse de l'Atlantide.

Le major Riddle s'agita sur son siège.

— Oui... c'est très intéressant, dit-il. Eh bien, lady Chevenix-Gore, je crois n'avoir pas autre chose à vous demander. Je vous remercie beaucoup.

Lady Chevenix-Gore se leva, en serrant étroitement autour d'elle son déshabillé oriental.

— Bonsoir, dit-elle.

Puis, fixant un point derrière le major Riddle :

— Bonsoir, mon cher Gervase, je voudrais bien que vous puissiez venir, mais je sais que vous devez rester ici.

Elle ajouta en guise d'explication :

— On doit rester sur place au moins vingt-quatre heures après sa mort. Il se passe un certain temps avant que l'on puisse circuler librement et communiquer avec les siens.

Elle sortit de la pièce. Le major Riddle s'essuya le front.

— Ouf ! fit-il. Elle est beaucoup plus folle que je ne le supposais. Croit-elle réellement ces absurdités ?

Poirot hocha la tête d'un air de doute.

— Il est possible qu'elle y puise un secours, dit-il ; en ce moment, elle a besoin de se créer un monde d'illusions, afin d'échapper à la dure réalité de la mort de son mari.

— Elle me semble bonne à enfermer, dit le major Riddle. Tout ce fatras d'absurdités sans un mot sensé ?

— C'est ce qui vous trompe, mon ami. L'intéressant est que, comme Mr Hugo Trent me l'a fait remarquer, au milieu de toutes ces sottises, il y a parfois un trait qui frappe juste. Elle l'a montré en parlant du tact dont miss Lingard fait preuve en passant sous silence les ancêtres indésirables. Croyez-moi, lady Chevenix-Gore est loin d'être sotte. (Il se leva et se mit à marcher de long en large.) Il y a certains côtés de cette affaire qui ne me plaisent pas du tout.

Riddle le regarda avec curiosité.

— Vous voulez parler de la cause du suicide ?

— Suicide... suicide ! Tout cela est faux, je vous le dis, c'est psychologiquement faux. Pour qui Chevenix-Gore se prenait-il ? Pour un colosse, un personnage extraordinairement important, le centre de l'Univers ! Un homme de cette sorte se détruit-il ? Certainement pas. Il est bien plutôt disposé à supprimer quelqu'un d'autre... Quelque pauvre larve d'humanité qui a osé lui causer des ennuis... Il considérerait un tel acte comme nécessaire... Sacro-saint. Mais un suicide ? La destruction d'une personnalité si auguste !

— Tout cela est très joli, Poirot, mais les preuves
sont évidentes. Porte fermée, clé en poche, fenêtres
verrouillées. Je sais que ces choses-là s'expliquent dans
des romans... mais je n'ai jamais pu le faire en réalité :
avez-vous autre chose ?

— Mais oui. (Poirot s'assit dans un fauteuil.) Imaginez que je suis Chevenix-Gore, je m'assieds à mon
bureau, résolu à me tuer parce que... Mettons que j'aie
découvert quelque chose de tout à fait déshonorant qui
entache le nom de la famille. Ce n'est pas très convain-
cant, mais cela peut suffire.

« ... Eh bien ! que fais-je ? Je griffonne le mot *PAR-
DON* sur une feuille de papier, puis j'ouvre le tiroir du
bureau, je sors le revolver que j'y range d'habitude, je le
charge s'il ne l'est pas... Est-ce que je me tue alors ? Pas
du tout. Je commence par tourner mon fauteuil, comme
ceci... Puis je me penche un peu à droite, voilà... Puis
j'appuie le canon du revolver sur ma tempe et je tire !

Poirot se leva d'un bond.

— Est-ce que cela vous paraît sensé ? Pourquoi
retourner mon fauteuil ? S'il y avait eu un tableau sur le
mur, un portrait, par exemple, qu'un homme pouvait
désirer regarder une dernière fois avant de mourir, cela
pourrait s'expliquer. Mais un rideau... Ah ! non, cela ne
colle plus !

— Il pouvait désirer voir une dernière fois sa propriété à travers la fenêtre.

— Mon ami, vous dites cela sans conviction. En fait,
vous savez que c'est absurde, à huit heures huit du soir,
il fait nuit et d'ailleurs les rideaux étaient tirés. Non, il
y a sûrement une autre explication.

— Pour autant que je sache, il n'y en a qu'une :
Gervase Chevenix-Gore était fou.

Poirot secoua la tête d'un air mécontent, le major
Riddle se leva.

— Venez, dit-il, allons interroger les autres, nous
arriverons peut-être à un résultat de cette façon.


CHAPITRE VI


Après les difficultés éprouvées pour obtenir un
témoignage précis de lady Chevenix-Gore, le major
Riddle éprouva un grand soulagement en interrogeant
un homme de loi intelligent comme Forbes.

Bien que ce dernier fût extrêmement prudent et
réservé dans ses déclarations, ses réponses étaient toujours objectives.

Il reconnut que le suicide de sir Gervase lui donnait
un grand choc, car il ne lui serait jamais venu à l'idée
qu'il était homme à se détruire. Il ignorait absolument
ce qui avait pu causer cet acte désespéré.

— Sir Gervase était non seulement mon client, mais
un ami de longue date. Je le connais depuis notre enfance, et je puis dire qu'il avait toujours su jouir de la
vie.

— Répondez-moi sincèrement, Mr Forbes. Aviez-
vous connaissance de quelque secrète angoisse ou d'un
chagrin quelconque dans la vie de sir Gervase ?

— Non ; il avait de petits ennuis comme tout le
monde, mais rien de grave.

— Pas de maladie ? Pas de mésintelligence entre sa femme et lui ?

— Non, sir Gervase et lady Chevenix-Gore étaient un excellent ménage.

— Lady Chevenix-Gore paraît avoir des vues assez singulières, hasarda le major Riddle.

Mr Forbes sourit avec indulgence.

— On doit permettre aux femmes d'avoir leurs chimères.

Le commissaire changea de sujet.

— C'est vous qui vous occupiez des affaires de sir Gervase ?

— Ma firme : Forbes, Ogilvie et Spence s'occupe des affaires des Chevenix-Gore depuis plus de cent ans.

— Il y a-t-il eu quelques scandales dans la famille ?

Mr Forbes haussa les sourcils.

— En vérité, je ne vous comprends pas.

— Monsieur Poirot, voulez-vous montrer à Mr Forbes la lettre dont vous m'avez donné communication ?

Poirot tendit la lettre sans mot dire à Mr Forbes, qui la lut et parut encore plus étonné.

— C'est une lettre extraordinaire, dit-il, et je comprends votre question maintenant. Non, pour autant que je sache, rien ne justifiait une pareille lettre.

— Sir Gervase ne vous en avait rien dit ?

— Absolument rien, et je dois dire que je trouve cela extrêmement curieux.

— Il avait l'habitude de se confier à vous ?

— Je crois qu'il se fiait à mon jugement.

— Vous n'avez aucune idée de ce qui a pu motiver cette lettre ?

— Je ne voudrais pas faire de conjectures inconsidérées.

Le major Riddle apprécia la subtilité de la réponse.

— Pouvez-vous me dire maintenant, Mr Forbes, à qui sir Gervase a laissé ses biens ?

— Certainement, je n'y vois aucun inconvénient. Sir Gervase a laissé à sa femme un revenu annuel de six mille livres imputable sur le domaine et, à son choix, Dower House ou la maison de Londres de Lowndes Squares. Il y a, naturellement, plusieurs legs et dons charitables. Le reliquat de la succession va à sa fille adoptive Ruth, sous condition, au cas où elle se marierait, que son époux prenne le nom de Chevenix-Gore.

— Et son neveu, Mr Hugo Trent, ne reçoit rien ?

— Si. Un legs de cinq mille livres.

— Sir Gervase était donc fort riche ?

— Oui, il avait une fortune personnelle considérable en plus du domaine. Evidemment, il n'était plus aussi à son aise qu'autrefois, tous les placements ont subi le marasme des affaires. En outre, sir Gervase a perdu des sommes considérables dans la Paragon Synthetic Rubber Substitude Co., dans laquelle le colonel Bury lui avait conseillé de placer des fonds.

— Le conseil n'était pas très avisé.

Mr Forbes soupira.

— Les militaires en retraite sont les plus grandes victimes lorsqu'ils se lancent dans des opérations financières. Leur crédulité dépasse celle des veuves... ce qui n'est pas peu dire.

— Mais ces placements malheureux n'ont pas affecté sir Gervase outre mesure ?

— Oh ! non ! Il était encore extrêmement riche.

— De quand date son testament ?

— De deux ans.

Poirot intervint.

— Ces dispositions ne sont-elles pas un peu injustes envers Mr Hugo Trent, le neveu de sir Gervase ? Il est, après tout, son plus proche parent.

Mr Forbes haussa les épaules.

— Il faut tenir compte de certaine situation familiale...

— Telle que ?

Mr Forbes paraissant réticent, le major Riddle se hâta de dire :

— Ne croyez pas que nous cherchons à exhumer certains vieux scandales, mais cette lettre de sir Gervase à M. Poirot doit être expliquée.

— Il n'y a absolument rien de scandaleux dans l'explication de l'attitude de sir Gervase envers son neveu, répliqua vivement Mr Forbes. Cela vient seulement de ce que sir Gervase prenait très au sérieux son rôle de chef de famille. Il avait un frère cadet et une sœur. Le frère, Anthony Chevenix-Gore, fut tué à la guerre ; la sœur, Paméla, se maria contre le gré de sir Gervase. Celui-ci estimait que la famille du capitaine Trent n'était pas d'assez bonne souche pour s'allier à une Chevenix-Gore. Sa sœur ne fit que rire de son attitude et, par la suite, sir Gervase a toujours éprouvé une sorte d'antipathie pour son neveu. Je crois que cette aversion a pu le décider à adopter une enfant.

— Il n'avait aucun espoir d'en avoir lui-même ?

— Non. Un an après son mariage, il y eut un bébé mort-né et les médecins déclarèrent que lady Chevenix-

Gore ne pourrait jamais en avoir d'autre. Deux ans plus tard il adopta Ruth.

— Et qui était cette enfant ? demanda Poirot. Comment l'a-t-il choisie ?

— Je crois qu'elle était fille d'une parente lointaine.

— Je m'en étais douté, dit Poirot en levant les yeux sur les portraits de famille qui garnissaient le mur. On peut voir qu'elle est du même sang : le nez, la ligne du menton, qui se répètent dans ses portraits.

— Elle a également hérité du caractère, dit sèchement Mr Forbes.

— C'est ce que j'imagine. Comment s'entendait-elle avec son père adoptif ?

— Comme vous pouvez le supposer. Il y avait fréquemment de violents heurts de volontés, mais, en dépit de ces querelles, une certaine harmonie régnait entre eux.

— Elle a dû lui causer pas mal de soucis ?

— Des soucis constants. Mais pas au point de le pousser au suicide, je puis vous le certifier.

— D'accord ! s'écria Poirot. On ne se fait pas sauter le caisson parce qu'on a une fille volontaire ! Ainsi, mademoiselle hérite ! Sir Gervase n'a jamais songé à modifier son testament ?

— Hum !

Mr Forbes toussa pour cacher un certain trouble.

— En fait, en arrivant ici, il y a deux jours, j'ai reçu les instructions de sir Gervase pour rédiger un nouveau testament.

— Comment ? s'écria le major Riddle, vous ne nous aviez pas dit cela !

— Vous m'avez simplement demandé quels étaient

les termes du testament de sir Gervase, riposta vivement Mr Forbes. Je vous ai fourni le renseignement. Le nouveau testament n'est même pas convenablement rédigé, encore moins signé.

— Quelles étaient les dispositions ? Elles pourraient nous éclairer sur l'état d'esprit de sir Gervase.

— La plupart restaient les mêmes qu'auparavant, mais miss Chevenix-Gore ne devait hériter que si elle épousait Mr Hugo Trent.

— Ah ! fit Poirot, mais c'est une différence très sensible !

— Je n'approuvais pas cette clause, dit Mr Forbes, et me suis senti obligé de faire remarquer qu'elle pouvait fort bien être contestée avec succès. Le tribunal n'homologue pas volontiers de tels legs. Mais sir Gervase était tout à fait décidé.

— Et si miss Chevenix-Gore (ou, par ailleurs, Mr Trent) refusait de se soumettre ?

— Si Mr Trent ne voulait pas se marier avec miss Chevenix-Gore, la totalité du legs revenait à celle-ci sans condition ; mais si lui le voulait et qu'elle s'y refusât, c'est lui qui héritait à sa place.

— Singulier arrangement, fit le major Riddle.

Poirot, se penchant, tapa le genou du notaire.

— Qu'est-ce qui se cache là, derrière ? Qu'avait en tête sir Gervase lorsqu'il a posé cette condition... Quelque chose de très précis, j'imagine... Sans doute l'image d'un autre homme... Un homme qui lui déplaisait souverainement. Je crois, Mr Forbes, que vous devez savoir quel est cet homme ?

— Je vous assure, monsieur Poirot, que je n'en suis pas informé.

— Mais vous pouvez le deviner ?

— Je ne devine jamais ! répliqua Mr Forbes d'un air scandalisé.

Il essuya son lorgnon, le remit sur son nez et ajouta :

— Désirez-vous savoir autre chose ?

— Pas pour le moment, dit Poirot. En ce qui me concerne, j'en ai terminé.

Le commissaire était du même avis.

— Je vous remercie, Mr Forbes, ce sera tout pour l'instant. Je désirerais, si c'est possible, parler à miss Chevenix-Gore.

— Rien de plus facile, je crois qu'elle est en haut avec lady Chevenix-Gore.

— Eh bien ! je pourrais peut-être auparavant dire un mot à Burrows, ainsi qu'à la secrétaire qui rédigeait l'histoire de la famille.

— Ils sont tous deux dans la bibliothèque. Je vais les prévenir.

CHAPITRE VII

— Quel métier ! fit le major Riddle après le départ du notaire. Ce n'est pas facile d'arracher des renseignements à ces vieux hommes de loi férus de tradition. Toute cette affaire me semble se centrer sur la jeune fille.

— On le dirait.

— Ah ! voici Burrows.

Godfrey Burrows arrivait, manifestement désireux de se rendre utile. Son sourire, que voilait discrètement une certaine tristesse, montrait un peu exagérément sa denture, il semblait plus posé que spontané.

— Nous désirons vous poser quelques questions.

— Tout à fait d'accord, major Riddle. Demandez-moi tout ce que vous voudrez.

— Avant tout, je voudrais savoir si vous avez une idée personnelle sur ce qui a pu motiver le suicide de sir Gervase.

— Absolument aucune. Ce fut le plus grand choc de ma vie.

— Avez-vous entendu le coup de feu ?

— Non. Je devais me trouver dans la bibliothèque à ce moment. J'y étais descendu de bonne heure pour chercher une référence dont j'avais besoin. La bibliothèque est de l'autre côté de la maison par rapport au bureau, aussi était-il impossible que j'entendisse quoi que ce soit.

— Etiez-vous seul dans la bibliothèque ? demanda Poirot.

— Absolument seul.

— Savez-vous où se trouvaient les autres membres de la maisonnée à ce moment ?

— La plupart d'entre eux devaient s'habiller au premier étage.

— Quand êtes-vous entré au salon ?

— Immédiatement avant l'arrivée de M. Poirot. Tout le monde y était rassemblé... à l'exception de sir Gervase, bien entendu.

— N'avez-vous pas trouvé bizarre qu'il ne soit pas là ?

— Si, car d'ordinaire il allait toujours au salon avant
que ne résonne le premier coup de gong.

— Avez-vous remarqué un changement quelconque
dans le comportement de sir Gervase ces derniers
temps ? Etait-il tourmenté ? Anxieux ? Déprimé ?

Godfrey Burrows réfléchit.

— Non, je ne crois pas... Un peu préoccupé, peut-
être.

— Mais sans objet particulier ?

— Oh ! non.

— Pas de soucis financiers d'aucune sorte ?

— Il était un peu inquiet au sujet d'une certaine
compagnie, la Paragon Synthetic Rubber Co.

— Que vous en a-t-il dit ?

Le sourire machinal de Godfrey Burrows reparut.

— Que le vieux Burry était un imbécile ou un co-
quin, plus probablement un imbécile, mais qu'il devait
le ménager « par égard pour Wanda ».

— Pourquoi a-t-il dit : « Par égard pour Wanda » ?
demanda Poirot.

— C'est que lady Chevenix-Gore aimait beaucoup le
colonel Bury et celui-ci lui avait voué un véritable culte.
Il la suivait comme un chien.

— Et sir Gervase n'était pas jaloux ?

— Jaloux ? (Burrows éclata de rire.) Ce sentiment
lui était inconnu. Il ne lui serait jamais venu à l'idée que
quelqu'un pût lui préférer un autre homme, vous comprenez.

Poirot intervint.

— Vous ne me semblez pas avoir eu beaucoup de
sympathie pour sir Gervase ? dit-il.

Burrows rougit.

— Oh ! si ! fit-il. Mais, voyez-vous, cette sorte de

chose nous semble un peu ridicule aujourd'hui.

— Quelle sorte de chose ? demanda Poirot.

— Ce sentiment féodal. Ce culte des ancêtres et cet orgueil démesuré. Sir Gervase était un homme très capable dans bien des domaines et il a mené une vie intéressante, mais il eût été beaucoup plus attachant s'il n'avait été aussi concentré sur lui-même, et enrobé dans son propre égoïsme.

— Sa fille est-elle du même avis que vous ?

Burrows rougit encore plus violemment que la première fois.

— J'imagine que miss Chevenix-Gore a des idées tout à fait modernes ! Evidemment, je n'aurais jamais voulu agiter la question avec elle.

— Mais les jeunes critiquent souvent leurs parents ! s'écria Poirot. C'est tout à fait dans l'esprit moderne et ils ne s'en font pas faute.

Burrows haussa les épaules.

— Sir Gervase n'avait pas d'autre souci financier ? demanda le major Riddle. Il ne s'est jamais plaint à vous d'être escroqué ?

— Escroqué ? fit Burrows visiblement stupéfait. Oh ! non !

— Et vous étiez en bons termes avec lui ?

— Certainement. Pourquoi ne l'aurais-je pas été ?

— Je vous le demande, Mr Burrows.

Le jeune homme fit grise mine.

— Nous étions dans les meilleurs termes.

— Saviez-vous que sir Gervase avait écrit à M. Poirot pour lui demander de venir ici ?

— Non.

— Sir Gervase écrivait-il lui-même ses lettres personnelles ?

— Non, il me les dictait toujours d'ordinaire.

— Pourquoi ne l'a-t-il pas fait cette fois-ci ?

— Je ne puis l'imaginer.

— Vous ne voyez aucune raison qui ait pu l'inciter à écrire lui-même cette lettre à M. Poirot ?

— Non, je n'en vois aucune.

— Ah fit le major Riddle, c'est curieux. Quand avez-vous vu sir Gervase pour la dernière fois ?

— Immédiatement avant de monter m'habiller pour dîner. Je lui avais porté quelques lettres à signer.

— Quelle était son humeur du moment ?

— Tout à fait normale. En fait, il paraissait très content de lui pour quelque raison inconnue.

Poirot s'agita sur son siège.

— Ah ! Ce fut votre impression. Il était satisfait et pourtant il se suicidait peu après. C'est étrange !

Godfrey Burrows haussa les épaules.

— Je ne fais que vous donner mes impressions.

— Oui, et elles nous sont précieuses. Après tout, vous êtes l'une des dernières personnes qui aient vu sir Gervase en vie.

— Snell fut le dernier.

— A le voir, oui, mais pas à lui parler.

Burrows ne répondit pas.

— Quelle heure était-il quand vous êtes monté vous habiller ?

— Environ sept heures cinq.

— Que fit sir Gervase ?

— Je le laissai dans son bureau.

— Combien de temps lui fallait-il pour s'habiller ?

— Il s'accordait d'ordinaire trois bons quarts d'heure.

— Le dîner étant à huit heures un quart, il a dû monter vers sept heures et demie au plus tard.

— C'est probable.

— Vous vous étiez changé plus tôt ?

— Oui, car une fois habillé, je voulais aller à la bibliothèque chercher certaines références dont j'avais besoin.

Poirot et le major Riddle échangèrent un coup d'œil.

— Eh bien ! Ce sera tout pour le moment, dit le major. Voulez-vous m'envoyer miss-je-ne-sais-qui ?

La petite miss Lingard arriva presque aussitôt, elle portait un long collier d'argent à plusieurs rangs qui tinta légèrement lorsqu'elle s'assit.

— Cet événement est très triste, miss Lingard, dit le major Riddle.

— Très triste, en effet, répondit cérémonieusement miss Lingard.

— Quand êtes-vous arrivée dans cette maison ?

— Il y a environ deux mois. Sir Gervase avait écrit à l'un de ses amis du Museum, le colonel Fotheringay, qui m'a recommandée à lui. J'ai fait beaucoup de recherches historiques.

— Avez-vous trouvé difficile de travailler avec sir Gervase ?

— Oh ! non, pas du tout. Il fallait flatter un peu ses manies, évidemment, mais j'ai toujours remarqué que c'était le meilleur parti à prendre avec les hommes.

Le major Riddle se demanda, non sans gêne, si miss Lingard n'était pas en train d'en faire autant avec lui.

— Vous deviez aider sir Gervase à écrire son livre en quoi consistait exactement votre rôle ?

Miss Lingard parut soudain s'humaniser, ses yeux
pétillèrent malicieusement.

— A rédiger pratiquement tout l'ouvrage ! Je cherchais tous les renseignements, prenais des notes, classais
le matériel littéraire, et, plus tard, je révisais ce que sir
Gervase avait écrit.

— Vous avez dû faire preuve de beaucoup de tact,
mademoiselle ? dit Poirot.

— De tact et de fermeté. Il faut les deux.

— Et sir Gervase ne s'est pas offusqué de votre...
fermeté ?

— Pas du tout. Naturellement, je lui avais fait observer qu'il ne devait pas s'embarrasser de détails sans
importance.

— Ah ! oui, je comprends.

— C'était fort simple en vérité, dit miss Lingard. Sir
Gervase était très facile à manœuvrer si l'on savait le
prendre du bon côté.

— Avez-vous quelque indice susceptible de jeter un
peu de lumière sur ce drame, miss Lingard ?

Elle secoua la tête.

— Malheureusement non. Il ne se confiait jamais à
moi, je n'étais qu'une étrangère. De toute façon, il était
bien trop orgueilleux pour parler à quiconque de ses
ennuis familiaux.

— Mais vous supposez que ce sont des ennuis familiaux qui ont déterminé son suicide ?

Miss Lingard parut surprise.

— Evidemment ! Existe-t-il une autre suggestion ?

— Vous êtes sûre qu'il avait des soucis familiaux ?

— Je sais qu'il était très tourmenté.

— Oh ! vous savez cela ?

— Mais, naturellement.

— Et vous a-t-il parlé de ce qui le tourmentait ?

— Pas explicitement.

— Que vous a-t-il dit ?

— Voyons... Je m'étais aperçue qu'il ne semblait pas comprendre ce que je lui disais...

— Un instant. Quand cela se passait-il ?

— Cet après-midi. Nous travaillons habituellement de trois à cinq heures.

— Continuez, je vous prie.

— Comme je vous l'ai dit, sir Gervase paraissait éprouver des difficultés à se concentrer. En fait, il le reconnut, en disant qu'il avait l'esprit miné par de graves soucis. Il ajouta même... (laissez-moi réfléchir) quelque chose dans ce genre (je ne garantis pas l'exactitude des paroles) : « C'est une chose terrible, miss Lingard, quand le déshonneur vient entacher l'une des familles les plus fières du pays. »

— Et qu'avez-vous répondu ?

— Oh ! simplement quelques mots apaisants. Je crois lui avoir dit que chaque génération a ses êtres faibles, que c'est la rançon de la grandeur... mais que leurs fautes sont très rarement retenues par la postérité.

— Cela l'apaisa-t-il comme vous le pensiez ?

— Plus ou moins. Nous en revînmes à sir Roger Chevenix-Gore. J'avais trouvé un passage très intéressant sur lui dans un manuscrit contemporain. Mais l'attention de sir Gervase s'égara de nouveau ; finalement ; il me dit ne plus vouloir travailler de l'après-midi, car il venait de recevoir un choc.

— Un choc ?

— C'est ce qu'il m'a dit. Naturellement, je ne lui ai posé aucune question, j'ai simplement répondu : « Je suis désolée de l'apprendre, sir Gervase. » Puis il me dit de prévenir Snell que M. Poirot allait arriver ; de reculer, en conséquence, le dîner jusqu'à huit heures un quart et d'envoyer la voiture à la gare pour le train de sept heures cinquante.

— Vous chargeait-il habituellement de ce genre de commissions ?

— Non ; c'était en réalité le rôle de Mr Burrows, je ne m'occupais que du travail littéraire et n'étais pas secrétaire au sens propre du mot.

— Croyez-vous que sir Gervase avait une raison particulière de vous charger de ces commissions au lieu de les confier à Mr Burrows ? demanda Poirot.

Miss Lingard réfléchit.

— C'est possible... Je n'y ai pas pensé sur le moment, croyant qu'il s'agissait simplement d'une question de commodité. Mais, en y songeant maintenant, je me rappelle qu'il m'a demandé de ne dire à personne que M. Poirot arrivait ce soir. Ce devait être une surprise, m'a-t-il dit.

— Ah ! vraiment ! C'est très curieux, très intéressant... et en avez-vous parlé à quelqu'un ?

— Certainement pas, monsieur Poirot. J'ai prévenu Snell de retarder le dîner et lui ai demandé d'envoyer le chauffeur chercher un invité qui devait arriver au train de sept heures cinquante.

— Sir Gervase vous a-t-il dit autre chose qui puisse avoir eu une portée sur la situation ?

Miss Lingard réfléchit.

— Non, je ne crois pas. Il paraissait obsédé... Je me souviens lui avoir entendu murmurer au moment où je sortais du bureau : « Non que sa venue puisse servir à quelque chose maintenant. Il est trop tard. »

— Et vous n'avez pas idée de ce que cela pouvait signifier ?

— N...non, dit-elle, marquant ainsi l'ombre d'une indécision.

Poirot fronçait les sourcils.

— « Trop tard », répéta-t-il. C'est bien ce qu'il a dit ? « Trop tard ! »

— Pouvez-vous nous donner une idée de ce qui avait pu affliger sir Gervase à ce point, miss Lingard ? demanda le major Riddle.

— Je suppose, répondit-elle lentement, que cela avait trait d'une manière ou d'une autre à Mr Hugo Trent.

— A Hugo Trent ? Qu'est-ce qui vous le fait croire ?

— Rien de précis ; mais, hier après-midi, comme nous abordions la vie de sir Hugo Chevenix-Gore (lequel n'a pas eu une conduite bien reluisante dans la guerre des Deux-Roses), sir Gervase s'est écrié : « Dire que ma sœur a choisi le nom de Hugo pour son fils ! Ce nom a toujours été mal porté dans la famille. Elle aurait dû savoir qu'aucun Hugo ne tournerait bien ! »

— Ce que vous nous dites est très suggestif, dit Poirot. Cela m'oriente vers une nouvelle idée.

— Sir Gervase ne vous a rien dit de plus précis que cela ? demanda le major Riddle.

Miss Lingard tourna la tête vers lui.

— Non, et, naturellement, il n'eût pas été convenable de ma part d'ajouter quoi que ce fût. A la vérité, sir Gervase avait fait cette réflexion à haute voix sans s'adresser à moi.

— Je comprends.

— Mademoiselle, dit Poirot, vous ne faites pas partie de la famille, mais vous avez vécu dans son intimité depuis deux mois : si vous pouviez nous donner franchement vos impressions sur elle et sur la maisonnée, cela nous rendrait le plus grand service.

Miss Lingard ôta son lorgnon et cligna des yeux en réfléchissant.

— Eh bien ! au début, j'ai cru sincèrement être arrivée dans une maison de fous ! Entre lady Chevenix-Gore qui prétendait continuellement voir des choses qui n'existaient pas et sir Gervase qui se conduisait comme un... un roi... et qui dramatisait son personnage de la façon la plus extravagante, je pensais réellement me trouver chez les gens les plus déséquilibrés que j'eusse jamais rencontrés. Evidemment, miss Chevenix-Gore était parfaitement normale et je n'ai pas tardé à m'apercevoir que lady Chevenix-Gore était en réalité une femme très sympathique et très bonne. Personne n'aurait pu me témoigner plus d'affabilité et de gentillesse qu'elle ne l'a fait. Sir Gervase... Eh bien ! Je crois qu'il était véritablement fou. Sa manie égocentrique — je crois que c'est le terme propre — empirait chaque jour.

— Et les autres ?

— J'imagine que Mr Burrows devait avoir la vie difficile avec sir Gervase. Je crois qu'il se félicitait que notre travail historique lui laisse un peu de temps pour respirer. Le colonel Bury était toujours charmant, très dévoué à lady Chevenix-Gore, il savait admirablement manœuvrer sir Gervase. Mr Trent, Mr Forbes et miss Cardwell n'étant ici que depuis quelques jours, je ne les connais pas très bien.

— Merci, mademoiselle. Et que savez-vous du capitaine Lake, le régisseur ?

— Oh ! il est très bien. Tout le monde l'aime.

— Y compris sir Gervase ?

— Mais oui. Je lui ai entendu dire que Lake était de beaucoup le meilleur régisseur qu'il ait jamais eu. Evidemment, le capitaine Lake a eu aussi des difficultés avec sir Gervase, mais il s'en est très bien tiré, et ce n'était pas facile.

Poirot approuva d'un signe et murmura :

— J'avais quelque chose à vous demander... Un petit détail. Qu'était-ce donc ?

Miss Lingard se tourna vers lui et attendit avec patience.

— Ah ! fit Poirot excédé, je l'avais sur le bout de la langue...

Au bout de quelques minutes, voyant Poirot toujours perplexe, le major Riddle reprit l'interrogatoire.

— Quand avez-vous vu sir Gervase pour la dernière fois ?

— A l'heure du thé, dans cette pièce.

— Paraissait-il normal ?

— Absolument comme d'habitude.

— Et les autres, avez-vous senti une certaine tension chez eux ?

— Non, tous m'ont paru être tout à fait naturels.

— Qu'a fait sir Gervase après le thé ?

— Il a emmené Mr Burrows dans son bureau comme d'habitude.

— Et c'est la dernière fois que vous l'avez vu ?

— Oui, je suis allée dans le petit salon où je travaille et j'ai tapé jusqu'à sept heures un chapitre d'après les notes que j'avais revues avec sir Gervase. Ensuite, je suis montée dans ma chambre pour me reposer et m'habiller.

— Vous avez entendu le coup de feu, je crois ?

— Oui, j'étais dans ma chambre. Entendant une détonation, je descendis dans le hall où se trouvaient déjà Mr Trent et miss Cardwell. Mr Trent demanda à Snell si nous aurions du champagne au dîner et tourna la chose en plaisanterie. Il ne nous est jamais venu à l'esprit qu'il s'était passé quelque chose de grave. Nous pensions tous que cette détonation devait provenir d'une auto.

— Avez-vous entendu Mr Trent dire : « Il y a toujours le crime ! » ? demanda Poirot.

— Je crois avoir entendu quelque chose de ce genre ; c'était une plaisanterie, naturellement.

— Qu'est-il arrivé ensuite ?

— Nous sommes tous entrés ici.

— Pouvez-vous vous rappeler dans quel ordre les autres sont descendus pour dîner ?

— Miss Chevenix-Gore fut, je crois, la première ; puis, Mr Forbes. Le colonel Bury et lady Chevenix-Gore arrivèrent ensemble et Mr Burrows immédiatement derrière eux. Je crois ne pas me tromper, mais ils sont plus ou moins arrivés tous ensemble.

— Rassemblés par le son du premier coup de gong ?

— Oui, tout le monde se précipite au salon quand on entend ce gong. Sir Gervase était terriblement à cheval sur la ponctualité.

— A quelle heure descendait-il lui-même d'ordinaire ?

— Il était presque toujours au salon avant le premier coup.

— Avez-vous été surprise de ne pas l'y voir ce soir-là ?

— Extrêmement surprise.

— Ah ! s'écria soudain Poirot, je me souviens de ce que je voulais vous demander...

Les deux autres se tournèrent vers lui.

— ... Ce soir, mademoiselle, lorsque nous nous sommes dirigés vers le bureau après que Snell nous eut avertis que la porte en était fermée à clé, vous vous êtes baissée et avez ramassé quelque chose.

— Vraiment ? fit miss Lingard qui semblait surprise.

— Oui, au moment où nous entrions dans le petit corridor menant au bureau : quelque chose de petit et de brillant.

— C'est extraordinaire... je ne me souviens pas. Si, attendez, je n'y pensais plus. Cela doit être là-dedans.

Ouvrant son sac, elle en versa le contenu sur la table. Poirot et le major Riddle l'examinaient avec intérêt. Il y avait deux mouchoirs, un poudrier, un petit trousseau de clés, un étui à lunettes et un petit objet dont Poirot s'empara vivement.

— Une balle, sacrebleu ! s'écria le major Riddle.

L'objet avait, en effet, l'aspect d'une balle, mais ce n'était qu'un petit crayon.

— Voilà ce que j'avais ramassé, dit miss Lingard, et je l'avais totalement oublié.

— Savez-vous à qui appartient cet objet ?

— Oh ! oui, au colonel Bury. Il l'a fait faire d'après une balle qui l'a frappé — ou plutôt qui ne l'a pas blessé — lors de la guerre sud-africaine.

— Savez-vous à quel moment il l'avait encore ?

— Je l'ai vu s'en servir pour marquer les points de bridge lorsque je suis venue prendre le thé.

— Qui jouait au bridge ?

— Le colonel Bury, lady Chevenix-Gore, Mr Trent et miss Cardwell.

— Je crois, dit doucement Poirot, que nous allons garder cet objet pour le rendre au colonel.

— Oh ! je vous en prie, je suis si étourdie que je pourrais oublier.

— Voulez-vous avoir la bonté de demander au colonel Bury de venir nous trouver, mademoiselle.

— Certainement. Je vais aller le chercher tout de suite.

Elle se hâta de sortir et Poirot se mit à marcher de long en large.

— Nous commençons à reconstituer l'après-midi, dit-il. C'est intéressant. A deux heures et demie, sir Gervase vérifie les comptes avec le capitaine Lake. *Il est légèrement préoccupé.* A trois heures, il discute la teneur du livre qu'il est en train d'écrire avec miss Lingard. *Il paraît très tourmenté.* Miss Lingard associe cet état d'esprit à Hugo Trent en s'appuyant sur une remarque faite par hasard. Pendant le thé, *son attitude est normale.* Après le thé, Godfrey Burrows nous a déclaré qu'il *paraissait de très bonne humeur pour une raison secrète.* A huit heures moins cinq, il descend dans son bureau, griffonne le mot *PARDON* sur une feuille de papier et se tue.

— Je vois où vous voulez en venir, dit lentement Riddle. Tout cela n'est pas logique.

— Quelles étranges sautes d'humeur chez Chevenix-Gore ! Il est préoccupé — gravement inquiet — il est normal — il est d'excellente humeur. C'est extrêmement curieux. Et la phrase qu'il a prononcée à mon sujet : « *Il arrivera trop tard.* » En effet, je suis arrivé trop tard *pour le voir vivant.*

— Je comprends. Vous croyez vraiment...

— Je ne saurai jamais maintenant pourquoi sir Gervase m'a fait venir ici ! Voilà ce qu'il y a de certain !

Poirot errait toujours dans la pièce. Il redressa un ou deux bibelots sur la cheminée, regarda la table de bridge, tira le tiroir pour examiner la marque du jeu. Puis il s'approcha d'un petit bureau et regarda la corbeille à papiers. Elle ne contenait qu'un sac en papier. Poirot le flaira, murmura « oranges » et l'aplatit pour lire le nom inscrit dessus : *Carpenter and Sons, fruitiers, Hamborough St. Mary*. Il était en train de le plier en quatre lorsque le colonel Bury entra.

## CHAPITRE VIII

— Quelle terrible affaire, Riddle, dit-il en se laissant tomber dans un fauteuil. Lady Chevenix-Gore a été merveilleuse, merveilleuse. C'est une femme admirable, pleine de courage.

— Vous la connaissez depuis des années, je crois ? dit doucement Poirot en s'approchant de lui.

— Oui, j'ai assisté à son premier bal. Elle avait des boutons de roses dans les cheveux et une robe floue toute blanche... Personne n'égalait sa beauté !

Poirot lui tendit le crayon.

— Ceci vous appartient, je crois ?

— Quoi ? Oh ! merci, je m'en suis servi cet après-midi pour marquer les levées du bridge. C'est stupéfiant j'ai eu cent d'honneurs trois fois de suite à pique. Cela ne m'était jamais arrivé.

— Vous avez joué au bridge avant le thé ? En quel état d'esprit avez-vous trouvé sir Gervase lorsqu'il est venu vous rejoindre ?

— Il était tout à fait comme d'habitude. Je n'aurais jamais imaginé qu'il allait se tuer. Peut-être était-il un peu plus surexcité que d'ordinaire, maintenant que j'y pense.

— Quand l'avez-vous vu pour la dernière fois ?

— Mais au thé ! Je ne l'ai jamais revu vivant.

— Vous n'êtes pas allé dans son bureau après le thé ?

— Non, je ne l'ai pas revu.

— Quand êtes-vous descendu pour dîner ?

— Après le premier coup de gong.

— En même temps que lady Chevenix-Gore ?

— Non, nous... nous nous sommes rencontrés dans le hall ; je crois qu'elle était allée à la salle à manger pour voir les fleurs.

Le major Riddle prit la parole.

— Vous ne vous offusquerez pas, j'espère, colonel Bury, si je vous pose une question personnelle. N'avez-vous eu aucune discussion avec sir Gervase au sujet de la Paragon Synthetic Rubber Company ?

Le visage du colonel s'empourpra.

— Pas du tout, pas du tout. Ce vieux Gervase était un garçon extravagant, souvenez-vous-en. Il s'attendait toujours à ce que tout ce qu'il touchait, se transformât en or. Il ne semblait pas comprendre que le monde entier subit une crise et que les valeurs s'en ressentent.

— Ainsi, il y a eu certaines difficultés entre vous ?

— Pas de difficultés : simplement les réflexions déraisonnables de Gervase.

— Il vous reprochait certaines pertes subies ?

— Gervase n'était pas normal ! Wanda le savait bien, mais elle ne pouvait pas toujours le manœuvrer. J'ai été heureux de la laisser faire.

Poirot toussa et le major Riddle, après l'avoir regardé, changea de sujet.

— Vous êtes un vieil ami de la famille, colonel Bury. Savez-vous à qui sir Gervase a légué ses biens ?

— J'imagine que le principal doit revenir à Ruth. C'est ce que j'ai compris d'après ce que Gervase a laissé entendre.

— Vous ne trouvez pas cela un peu injuste pour Hugo Trent ?

— Gervase n'aimait pas Hugo. Il n'a jamais pu le souffrir.

— Mais il avait l'esprit de famille au plus haut degré et miss Chevenix-Gore n'est, après tout, qu'une fille adoptive...

Le colonel Bury hésita visiblement.

— Ecoutez, finit-il par dire, je crois qu'il vaut mieux vous mettre au courant... Mais c'est tout à fait confidentiel.

— Naturellement.

— Ruth est une enfant naturelle, mais c'est une Chevenix-Gore. Elle est la fille du frère de Gervase, Anthony, qui fut tué à la guerre. Je crois qu'il a eu une liaison avec une dactylo. Quand il fut tué, la jeune fille écrivit à Wanda. Wanda alla la voir... La dactylo était enceinte. Wanda, qui venait d'apprendre qu'elle ne pouvait plus avoir d'enfant, soumit le cas à Gervase et, d'un commun accord, ils adoptèrent le bébé dès sa naissance.

La mère renonça à tous ses droits sur elle. Ils ont élevé Ruth comme leur propre fille et vous n'avez qu'à la regarder pour vous apercevoir qu'elle est bien une Chevenix-Gore.

— Ah ! fit Poirot. Cela rend l'attitude de sir Gervase beaucoup plus compréhensible. Mais s'il n'aimait pas Mr Trent, pourquoi désirait-il tant le voir épouser miss Ruth ?

— Pour régulariser la situation de la famille. Cela flattait son sentiment des convenances.

— Même en n'ayant ni sympathie ni confiance envers le jeune homme ?

Le colonel Bury ricana.

— Vous ne comprenez pas le vieux Gervase. Il ne considérait pas les gens comme des êtres humains, il arrangeait les alliances comme s'il s'agissait de personnages royaux ! Gervase trouvait convenable que Ruth et Hugo s'épousent, Hugo prenant le nom de Chevenix-Gore. Ce que les intéressés pouvaient penser lui importait peu.

— Et miss Ruth s'accommodait de cette disposition ?

Le colonel Bury rit sous cape.

— Pas elle ! Ruth est intraitable !

— Savez-vous que peu avant sa mort, sir Gervase était en train de rédiger un nouveau testament selon lequel miss Chevenix-Gore n'hériterait qu'à la condition d'épouser Mr Trent ?

Le colonel Bury émit un long sifflement.

— Il a dû avoir vent de ce qui se passait avec Burrows...

A peine eut-il prononcé ce nom qu'il aurait voulu

rattraper ses paroles, mais il était trop tard. Poirot bondit sur l'aveu.

— Il y avait donc quelque chose entre miss Ruth et le jeune Burrows ?

— Oh ! c'était probablement sans importance... sans importance aucune...

Le major Riddle toussa.

— Vous feriez mieux, dit-il, de nous révéler tout ce que vous savez, colonel Bury. Cela pouvait avoir une portée directe sur l'état d'esprit de sir Gervase.

— C'est possible. Eh bien ! à la vérité, le jeune Barrows n'est pas vilain garçon... Les femmes du moins semblent de cet avis ! Ruth et lui semblent s'accorder comme larrons en foire depuis quelque temps et cela ne plaisait pas à Gervase... Cela ne lui plaisait pas du tout. Il ne voulait pas renvoyer Burrows, craignant de précipiter les événements, car il connaissait le caractère de Ruth, qui ne veut pas être régentée. Je suppose qu'il a trouvé cette combinaison pour les séparer. Ruth n'est pas fille à tout sacrifier par amour. Elle aime le luxe et l'argent.

— Quelle est votre opinion personnelle sur Mr Burrows ? demanda le major Riddle.

Le colonel répondit que Godfrey Burrows lui faisait l'effet d'un ours mal léché, expression qui fit sourire le major.

Après avoir répondu à quelques questions supplémentaires, le colonel Bury se retira.

— Que pensez-vous de tout cela, monsieur Poirot ? demanda Riddle.

Le petit homme leva les mains.

— Il me semble voir se dessiner quelque chose, dit-il.

— C'est difficile.

— Oui, mais certaines phrases prononcées légèrement me paraissent significatives.

— Par exemple ?

— Celle dite en riant par Hugo Trent : *Il y a toujours le crime...*

Riddle riposta vivement.

— Oui, je m'aperçois que vous inclinez vers cette solution depuis le début.

— N'êtes-vous pas d'avis, mon ami, que plus nous en apprenons, moins nous trouvons de raisons valables pour un suicide ? Par contre, nous commençons à avoir une surprenante collection de mobiles pour un crime.

— Il faut pourtant vous rappeler les faits : porte fermée, clé dans la poche du mort. Oh ! je sais que les moyens ne manquent pas : épingles courbées, ficelles... Toutes sortes d'outils de fortune... C'est possible... Mais ces moyens réussissent-ils réellement ? J'en doute fort.

— En toute éventualité, examinons la situation au point de vue crime en laissant de côté le suicide.

— D'accord. Comme vous êtes dans les parages, c'est sans doute un crime.

Poirot sourit.

— Je n'aime guère cette remarque, dit-il.

Puis, redevenant sérieux, il ajouta :

— Examinons le cas en supposant qu'il y a eu crime. Lorsque la détonation retentit, quatre personnes se trouvent dans le hall : miss Lingard, Hugo Trent, miss Cardwell et Snell. Où sont les autres ?

— Burrows se trouvait dans la bibliothèque, d'après sa propre déclaration que personne ne peut contrôler. Les autres étaient probablement dans leurs chambres,

mais rien ne le prouve. Tous semblent être descendus
séparément. Lady Chevenix-Gore elle-même et Bury ne
se sont rencontrés que dans le hall. Lady Chevenix-
Gore venait de la salle à manger, mais d'où venait
Bury ? N'est-il pas possible qu'il soit arrivé non du
premier étage, mais du *bureau* ?

— Oui, le crayon est intéressant. Il n'a pas paru ému
le moins du monde lorsque je le lui ai montré, mais cela
peut provenir de ce qu'il ne savait pas où je l'avais
trouvé et ne s'était pas aperçu de sa perte. Voyons un
peu qui d'autre jouait au bridge quand on s'est servi de
ce crayon ? Hugo Trent et miss Cardwell, qui sont hors
de cause ; miss Lingard et le maître d'hôtel peuvent
certifier leurs alibis. La quatrième était lady Chevenix-
Gore.

— Vous ne pouvez la soupçonner sérieusement ?

— Pourquoi pas, mon ami ? Je vous assure que je
puis soupçonner tout le monde ! Supposez qu'en dépit
de son apparente affection pour son mari, ce soit le
fidèle Bury qu'elle aime réellement ?

— Hum ! fit Riddle. En fait, c'était depuis des
années *une sorte de ménage à trois* (1).

— Et puis, il y a les difficultés à propos de cette
compagnie entre sir Gervase et le colonel Bury.

— Il est vrai que sir Gervase pouvait avoir l'intention de réagir énergiquement. Nous ne connaissons pas
les détails de l'affaire. Elle pourrait justifier son appel à
vos services. Supposons que sir Gervase soupçonnant
Bury de l'avoir volontairement grugé n'ait pas voulu
ébruiter la chose parce qu'il supposait que sa femme

(1) En français dans le texte.

pouvait avoir trempé dans la combinaison ? Oui, c'est possible. Cela donne à l'un comme à l'autre un mobile plausible. Et il est vraiment étrange que lady Chevenix-Gore ait supporté la mort de son mari avec autant de calme. Toutes ces histoires d'esprits peuvent n'être que de la comédie.

— Il y a encore une autre complication, dit Poirot : miss Chevenix-Gore et Burrows. Il était d'un intérêt majeur pour eux que sir Gervase ne signe pas le nouveau testament. Les choses étant restées ce qu'elles étaient, Ruth hérite de tout, à condition que son mari prenne le nom de famille.

— Oui, et la description que Burrows nous a faite de l'attitude de sir Gervase, ce soir, est un peu louche. Il paraissait enchanté pour quelque secrète raison ! Cela ne cadre pas du tout avec ce que l'on nous a dit.

— Il y a aussi Mr Forbes, si correct, si sérieux, qui appartient à une ancienne firme de réputation solide, mais on a vu des notaires les plus respectables détourner les fonds de leurs clients quand ils se trouvent eux-mêmes en difficulté.

— Vous cherchez un peu trop l'effet sensationnel, Poirot.

— Vous pensez que mes suggestions ressemblent trop à du cinéma ? Mais, major Riddle, la vie ressemble souvent d'une façon surprenante à un film.

— Cela ne s'est pas encore produit en Westshire, dit le commissaire. Mieux vaut en finir avec nos interrogatoires, ne croyez-vous pas ? Il se fait tard et nous n'avons pas encore vu Ruth Chevenix-Gore qui est probablement la plus intéressante du lot.

— D'accord. Il y a aussi miss Cardwell, il serait

peut-être préférable de la voir d'abord. Qu'en pensez-vous ?

— C'est une excellente idée.


## CHAPITRE IX


Poirot, qui avait à peine jeté un coup d'œil sur Susan Cardwell, au début de la soirée, l'examinait maintenant plus attentivement. « Visage intelligent, pensa-t-il, pas exactement jolie, mais possédant un charme que bien des jolies filles auraient pu envier. Elle avait des cheveux magnifiques, un maquillage adroit, mais son regard semblait plein de méfiance.

Après quelques questions préliminaires, le major Riddle lui dit :

— J'ignore si vous êtes ou non une amie intime de la famille, miss Cardwell ?

— Mais je ne la connais pas du tout ! C'est Hugo qui m'a fait inviter ici.

— Vous êtes donc une amie d'Hugo Trent ?

— Oui, c'est là ma situation : je suis l'amie d'Hugo Trent, répondit-elle en souriant.

— Vous le connaissez depuis longtemps ?

— Oh ! non, depuis à peu près un mois... Nous sommes sur le point d'être fiancés.

— Et il vous a amenée ici pour vous présenter à ses parents ?

— Oh ! Dieu non ! Rien de semblable, nous gardons le secret le plus absolu. Je suis venue ici pour explorer les lieux, Hugo m'avait dit que c'était une maison de fous. J'ai voulu me rendre compte par moi-même. Hugo, le pauvre chéri, est un chou, mais c'est une vraie tête de linotte. La situation, voyez-vous, est assez critique. Hugo et moi n'avons aucune fortune et le vieux sir Gervase, qui était le seul espoir d'Hugo, s'est mis en tête de lui faire épouser Ruth. Hugo est un faible, il aurait pu accepter ce mariage avec l'intention de se libérer plus tard.

— Et cette idée n'a pas reçu votre approbation, mademoiselle ? demanda Poirot.

— Certainement pas. Ruth aurait pu refuser le divorce. J'y ai mis le holà. Pas de cérémonie à St. Paul avant que je puisse y être avec une gerbe de lis dans les bras.

— De sorte que vous êtes venue étudier la situation ?

— Oui.

— Eh bien ! s'exclama Poirot.

— Naturellement, Hugo avait raison ! Toute la famille est folle à lier ! Excepté Ruth qui semble très sensée. Elle a son amoureux personnel et l'idée du mariage imposé ne lui plaisait pas plus qu'à moi.

— Vous faites allusion à Mr Burrows ?

— Burrows ? Bien sûr que non. Ruth ne s'éprendrait pas d'un fantoche pareil.

— Quel est donc l'objet de son affection ?

Susan Cardwell prit une cigarette et l'alluma.

— Mieux vaut que vous le lui demandiez. Après tout, cela ne me regarde pas.

Le major Riddle s'adressa à la jeune fille.

— Quand avez-vous vu sir Gervase pour la dernière fois ?

— Au thé.

— Son attitude vous a-t-elle semblé bizarre ?

Elle haussa les épaules.

— Pas plus que d'habitude.

— Qu'avez-vous fait après le thé ?

— J'ai joué au billard avec Hugo.

— Vous n'avez pas revu sir Gervase ?

— Non.

— Parlez-moi de la détonation.

— C'est assez étrange. J'avais cru que le premier coup de gong avait résonné, je me suis habillée en toute hâte et, en entendant ce que je pris pour le second coup de gong, je descendis l'escalier quatre à quatre. J'avais été en retard d'une minute la veille pour le dîner et Hugo m'avait déclaré que cela avait anéanti toutes nos chances avec son oncle, aussi ai-je dégringolé à toute vitesse ! Hugo était juste devant moi, on entendit une sorte d'éclatement, Hugo déclara que c'était un bouchon de champagne, mais Snell assura que non, et, de toute façon, je ne crois pas que cela venait de la salle à manger. Miss Lingard était d'avis que cela provenait du premier étage, mais nous finîmes par tomber d'accord sur une pétarade d'auto, puis nous entrâmes au salon et l'incident fut oublié.

— Il ne vous est pas venu à l'esprit que sir Gervase avait pu se suicider ? demanda Poirot.

— Comment aurais-je pu imaginer une chose pareille ? Le vieux sir Gervase aimait bien trop faire l'important ! Je ne puis concevoir pourquoi il a fait cela. Sans doute simplement parce qu'il était cinglé.

— C'est un malheureux événement.

— Très malheureux... pour Hugo et pour moi. Je crois qu'il n'a rien laissé à Hugo, ou presque rien.

— Qui vous a dit cela ?

— Hugo l'a fait avouer à Forbes.

— Eh bien ! Miss Cardwell, dit le major Riddle, je crois que ce sera tout pour le moment. Croyez-vous miss Chevenix-Gore assez remise de son émotion pour venir nous parler ?

— Oh ! je crois que oui. Je vais le lui demander.

Poirot intervint.

— Un instant, mademoiselle. Avez-vous déjà vu ceci ? dit-il en lui tendant la balle-crayon.

— Oh ! oui, nous nous en sommes servis pour le bridge cet après-midi. Il appartient au colonel Bury, je crois ?

— L'avait-il emporté après la partie ?

— Je n'en ai pas la moindre idée.

— Merci, mademoiselle. Ce sera tout pour l'instant.

— Eh bien ! Je vais prévenir Ruth.

Ruth Chevenix-Gore pénétra dans la pièce comme une reine. Visage coloré, tête haute, mais ses yeux, comme ceux de Susan Cardwell, étaient aux aguets. Elle portait toujours sa robe du soir d'un jaune pâle un peu orangé et, sur l'épaule, la rose saumon si fraîche une heure auparavant, toute fanée maintenant.

— Me voilà, dit Ruth.

— Je suis véritablement désolé de vous importuner... commença le major Riddle.

Elle l'interrompit :

— Mais c'est tout naturel, il faut que tout le monde y passe. Pourtant, je vous épargnerai du temps en vous disant que je ne sais absolument pas pourquoi mon père s'est suicidé. Tout ce que je puis vous dire est que cela ne lui ressemble absolument pas.

— Avez-vous remarqué quelque chose d'anormal dans son attitude aujourd'hui ? Etait-il déprimé ou sur-excité sans raison apparente ?

— Je ne crois pas, je n'y faisais pas attention.

— Quand l'avez-vous vu pour la dernière fois ?

— A l'heure du thé.

Poirot se pencha vers elle.

— Vous n'êtes pas entrée dans son bureau... plus tard ?

— Non, la dernière fois que je l'ai vu, il était dans cette pièce, assis là.

Elle indiqua un fauteuil.

— Connaissez-vous ce crayon, mademoiselle ?

— Il appartient au colonel Bury.

— L'aviez-vous vu dernièrement ?

— Je ne m'en souviens pas.

— Avez-vous eu vent d'une mésentente entre sir Gervase et le colonel Bury ?

— Au sujet de la Paragon Rubber Co.

— Oui.

— Il estimait peut-être qu'on l'avait escroqué ?

— Je crois bien ! Père était furieux à ce sujet. Ruth haussa les épaules.

— Il ne comprenait absolument rien aux finances.

— Me permettez-vous de vous poser une question un peu impertinente, mademoiselle ? dit Poirot.

— Certainement, si vous en avez envie.

— La voici... Etes-vous désolée que votre père soit mort ?

Elle parut stupéfaite.

— Bien sûr que je suis désolée ! Je ne verse pas de

larmes, mais il me manquera... J'aimais « l'Ancêtre »
comme nous l'appelions toujours, Hugo et moi.
« L'Ancêtre »... Vous savez, cela a quelque chose du
primitif-anthropoïde-singe-originel-patriarche du clan.
Cela peut vous sembler irrespectueux, mais il y a beaucoup d'affection derrière ce mot. Evidemment, il était
en réalité le plus parfait crétin, l'être le plus brouillon
qui ait jamais existé.

— Vous m'intéressez, mademoiselle.

— L'Ancêtre avait une cervelle de moineau ! Désolée d'avoir à vous le dire, mais c'est vrai. Il était incapable du moindre travail cérébral. Mais, notez-le bien,
c'était un type brave au-delà de toutes limites et ne
craignant ni Dieu ni diable. Il pouvait faire une expédition au pôle ou se battre en duel. J'ai toujours supposé
que, s'il faisait tant le bravache, c'est qu'il se savait
incapable de faire jouer son intelligence. N'importe qui
aurait pu le rouler.

Poirot tira la lettre de sa poche.

— Lisez ceci, mademoiselle.

Elle la lut attentivement et la lui rendit.

— Ainsi, c'est cela qui vous a amené ici !

— Cette lettre vous suggère-t-elle une idée ?

— Non. C'est probablement vrai. N'importe qui
pourrait avoir volé le pauvre vieux chéri. John m'a dit
que le régisseur précédent avait fait ses foins au-delà de
toutes limites. L'Ancêtre, voyez-vous, était si grand sei-
gneur, si pompeux, qu'il ne condescendait jamais à vérifier de près les détails. C'était provoquer le vol.

— Vous nous donnez de lui un portrait tout différent
de l'opinion courante.

— Oh ! c'est qu'il se dissimulait sous un camouflage
très réussi. Wanda, ma mère, le soutenait de tous ses

moyens. Il était si heureux de circuler majestueusement en se prenant pour Dieu le père. Voilà pourquoi je suis, dans une certaine mesure, heureuse qu'il soit mort. Cela vaut mieux pour lui.

— Je ne vous suis pas très bien, mademoiselle.

Ruth parut s'absorber dans ses pensées.

— Son état empirait, murmura-t-elle. Un de ces jours, il aurait fallu l'enfermer... Les gens commençaient à jaser.

— Saviez-vous, mademoiselle, qu'il se proposait de refaire un testament selon lequel vous n'hériteriez qu'à la condition d'épouser Mr Trent ?

— Quelle absurdité ! s'écria-t-elle. De toute façon, je suis certaine que ce testament serait frappé d'illégalité. Je suis sûre qu'on ne peut pas obliger les gens à épouser qui l'on veut.

— S'il avait signé un testament de ce genre, vous seriez-vous pliée à ses exigences, mademoiselle ?

Elle ouvrit de grands yeux.

— Je... je...

Elle s'interrompit et resta un instant dans l'indécision, en balançant son petit soulier, un petit morceau de terre s'en détacha.

Soudain, Ruth Chevenix-Gore se leva d'un bond.

— Attendez ! dit-elle.

Elle sortit en courant et revint aussitôt accompagnée du capitaine Lake.

— Il faut que la vérité se fasse jour, dit-elle hors d'haleine, autant que vous l'appreniez maintenant. John et moi nous sommes mariés à Londres il y a trois semaines.

## CHAPITRE X

Des deux, c'était le capitaine Lake qui paraissait le plus embarrassé.

— C'est une grande surprise, miss Chevenix-Gore... Mrs Lake, devrais-je dire, fit le major Riddle. Quelqu'un était-il au courant de votre mariage ?

— Non, nous le tenions secret, ce qui ne plaisait guère à John.

— Je... Je sais que cela doit vous sembler abominable, bégaya Lake ; j'aurais dû aller trouver sir Gervase...

Ruth lui coupa la parole :

— Et lui dire que vous désiriez épouser sa fille, ce qui vous aurait fait renvoyer sur l'heure ; il m'aurait probablement déshéritée et aurait mené un train d'enfer. Nous aurions pu nous féliciter du résultat ! Croyez-moi, ma façon de faire était plus habile. Ce qui est fait est fait, il aurait beaucoup crié, mais il aurait fini par s'amadouer.

Lake semblait toujours malheureux.

— Quand aviez-vous l'intention d'annoncer la nouvelle à sir Gervase ? demanda Poirot.

— J'étais en train de préparer le terrain, répondit Ruth. Il nous avait d'abord soupçonnés, John et moi, aussi ai-je fait semblant de reporter mes préférences sur Godfrey. Naturellement, il était prêt à prendre les choses au tragique et à s'affoler complètement. Je me figurais que la nouvelle de mon mariage avec John lui apporterait presque un soulagement.

— Quelqu'un était-il au courant de votre mariage ?

— Oui, j'en avais finalement parlé à Wanda. Je tenais à l'avoir de mon côté.

— Et vous y avez réussi ?

— Oui. C'est qu'elle ne voyait pas d'un bon œil mon mariage avec Hugo parce qu'il était mon cousin. Elle pensait que la famille étant déjà suffisamment timbrée, nous aurions des enfants complètement dingos. C'est absurde, car je ne suis qu'une fille adoptive, et, je crois, une cousine très très éloignée.

— Etes-vous certaine que sir Gervase ne soupçonnait pas la vérité ?

— Oh ! oui.

— Est-ce vrai, capitaine Lake ? Lors de votre entretien avec sir Gervase cet après-midi, êtes-vous absolument certain que le fait n'a pas été évoqué ?

— Non, monsieur, il ne l'a pas été.

— Parce que certain témoignage nous a démontré que sir Gervase était particulièrement surexcité après vous avoir vu et qu'il a fait allusion une ou deux fois au déshonneur de la famille.

— Le fait n'a pas été évoqué, répéta le capitaine Lake dont le visage était maintenant très pâle.

— Est-ce bien la dernière fois que vous avez vu sir Gervase ?

— Oui, je vous l'ai déjà dit.

— Où étiez-vous ce soir à huit heures huit minutes ?

— Où j'étais ? Dans mon logis, tout au bout du village, à un demi-mille d'ici.

— Vous n'êtes pas revenu vers Hamborough Close vers cette heure-là ?

— Non.

Poirot se tourna vers la jeune fille.

— Où étiez-vous, mademoiselle, lorsque votre père s'est suicidé ?

— Dans le jardin.

— Dans le jardin ? Vous avez entendu la détonation ?

— Oh ! oui ! Mais je n'y ai pas attaché d'importance, j'ai pensé qu'on tirait des lapins, mais, je me souviens maintenant que le bruit m'a paru très proche.

— Par où êtes-vous rentrée dans la maison ?

— Par cette fenêtre.

Ruth indiqua du geste la porte-fenêtre située derrière elle.

— Quelqu'un se trouvait-il dans la pièce ?

— Non ; mais Hugo, Susan et miss Lingard sont entrés presque immédiatement, ils parlaient de braconnage, de crimes, etc...

— Je comprends, dit Poirot, oui, je crois comprendre maintenant...

Le major Riddle congédia les deux jeunes gens.

— Que diable ! murmura-t-il. Cette affaire devient de plus en plus embrouillée.

Poirot approuva d'un signe, il avait ramassé le petit morceau de terre tombé du soulier de Ruth et le regardait pensivement.

— C'est comme le miroir brisé, dit-il. Le miroir du mort. Chaque nouveau fait que nous apprenons nous montre le mort sous un angle différent. Nous aurons bientôt un tableau complet.

Il se leva pour jeter le petit morceau de terre dans la corbeille à papiers.

— Je vais vous révéler une chose, mon ami : la clé
du mystère est dans le miroir. Allez au bureau et regardez par vous-même si vous ne me croyez pas.

— Si c'est un crime, riposta le major Riddle, à vous
de le prouver. Pour moi, il s'agit d'un suicide. Avez-
vous remarqué ce que la jeune femme a dit au sujet
d'un précédent régisseur qui aurait volé le vieux Gervase ? Je parie que Lake a inventé cette histoire pour les
besoins de la cause. Il se sucrait probablement lui-
même, Gervase le soupçonnait et il vous a appelé ici
parce qu'il ne savait pas jusqu'où étaient allées les
choses entre Lake et Ruth. Puis, cet après-midi, Lake
lui a révélé leur mariage, cette nouvelle brisa le cœur
du vieux Gervase. Il était « trop tard » maintenant pour
faire quelque chose, il résolut d'en finir ; en réalité, son
cerveau qui n'avait jamais été bien équilibré dans ses
meilleurs moments sombra complètement. A mon avis,
c'est ce qui s'est passé. Qu'avez-vous à dire là contre ?

Poirot était immobile au milieu de la pièce.

— Je pense ceci : je n'ai rien à dire contre votre
théorie, mais elle ne va pas assez loin, elle ne tient pas
compte de certains détails.

— Lesquels, par exemple ?

— Les sautes d'humeur de sir Gervase aujourd'hui,
la découverte du crayon du colonel Bury, le témoignage
de miss Cardwell (qui est très important), celui de miss
Lingard à propos de l'ordre dans lequel les gens sont
descendus pour dîner, la position du fauteuil de sir
Gervase quand nous l'avons découvert, le sac de papier
qui a contenu des oranges et, finalement, l'important
indice du miroir brisé.

Le major Riddle paraissait ahuri.

— Allez-vous me dire que ces propos sans queue ni tête ont un sens ? demanda-t-il.

— J'espère bien pouvoir le démontrer dès demain, répondit doucement Poirot.

### CHAPITRE XI

Le jour venait de se lever lorsque Poirot s'éveilla le lendemain matin. Sa chambre se trouvait à l'est. Sortant du lit, il releva le store, le soleil était levé et annonçait une belle journée.

Il s'habilla avec le soin méticuleux qu'il mettait toujours à sa toilette, endossa un pardessus et enroula un cache-nez autour de son cou.

Quittant sa chambre sur la pointe des pieds, il descendit sans bruit dans la maison silencieuse, traversa le salon, ouvrit doucement l'une des portes-fenêtres et sortit dans le jardin.

Une brume légère voilait le soleil comme cela se produit toujours à l'aube d'un beau jour. Hercule Poirot, suivant la terrasse, contourna l'angle de la maison et, arrivé devant les fenêtres du bureau de sir Gervase, il regarda le paysage.

Immédiatement au-dessous des fenêtres, il y avait une bande de gazon s'étendant parallèlement à la maison et, bordant le gazon, un grand parterre d'herbacées. Les asters étaient encore en pleine floraison. Devant le parterre se trouvait l'allée dallée sur laquelle se tenait Poirot, et, partant de l'allée gazonnée, une bande de gazon rejoignait la terrasse. Poirot l'examina de près, hocha la tête, et tourna son attention sur le parterre... Sur la droite, on y voyait distinctement des empreintes de pas.

En se penchant pour les mieux voir, il entendit du bruit et leva vivement la tête. On venait d'ouvrir une fenêtre au premier étage, une tête se pencha, encadrée d'une auréole de cheveux roux, il aperçut le visage intelligent de Susan Cardwell.

— Que diable faites-vous à cette heure, monsieur Poirot ? Un petit travail de détection ?

Poirot la salua très correctement.

— Bonjour, mademoiselle. Oui, vous avez deviné. Vous surprenez un détective — un grand détective, puis-je dire — dans l'exercice de ses fonctions.

La remarque était un peu orgueilleuse. Susan pencha la tête de côté.

— Je n'oublierai pas d'inscrire cela dans mes mémoires, dit-elle. Voulez-vous que je descende vous aider ?

— J'en serais enchanté.

— J'ai supposé d'abord que vous étiez un cambrioleur. Par où êtes-vous sorti ?

— Par la porte-fenêtre du salon.

— Je vous rejoins dans une minute.

Elle tint parole. Selon toutes apparences, Poirot était exactement dans la position où elle l'avait aperçu.

— Vous êtes réveillée de bien bonne heure, mademoiselle.

— J'ai très mal dormi, et je commençais à éprouver

l'affreuse impression que l'on ressent à 5 heures du matin.

— Il n'est pas aussi tôt que cela !

— J'en ai tout de même l'impression ! Et maintenant, mon super-détective, que regardons-nous ?

— Observez ces empreintes, mademoiselle.

— Ainsi, il y en a.

— Quatre, je vais vous les montrer. Deux se dirigent vers la fenêtre, deux en reviennent.

— Qui les a faites ? Le jardinier ?

— Mademoiselle, mademoiselle ! Ces empreintes sont faites par un petit soulier de femme à hauts talons. Faites-en l'expérience, posez donc votre pied à côté d'elles.

Susan hésita une seconde et posa son pied à l'endroit liqué par Poirot. Elle portait de petites mules de cuir rron à talons hauts.

— Voyez, les vôtres ont presque la même dimension, mais pas tout à fait. Celles-là proviennent de pieds plus grands que les vôtres, peut-être ceux de miss Chevenix-Gore, de miss Lingard ou même de lady Chevenix-Gore.

— Certainement pas lady Chevenix-Gore, elle a des pieds minuscules. Dans son temps, les gens s'arrangeaient pour avoir de petits pieds, quant à miss Lingard, elle porte de drôles de souliers à talons plats.

— En ce cas, ce sont les empreintes de miss Chevenix-Gore. En effet, je me souviens qu'elle m'a dit être allée au jardin hier soir.

Il se dirigea vers l'angle de la maison.

— Continuons-nous à faire les détectives ? demanda Susan.

— Certainement, nous allons maintenant dans le bureau de sir Gervase.

La porte forcée pendait toujours mélancoliquement ; à l'intérieur, la pièce était dans le même état que la veille. Poirot tira les rideaux pour y voir clair et s'immobilisa un instant devant la fenêtre.

— Je présume que vous n'avez jamais eu de cambrioleurs dans vos relations, mademoiselle ?

Susan Cardwell secoua sa tête rousse d'un air navré.

— Malheureusement non, monsieur Poirot.

— Le commissaire n'a pas eu non plus l'avantage d'avoir des contacts amicaux avec eux. Ses relations avec les classes de malfaiteurs ont toujours été strictement officielles. Il n'en est pas de même pour moi. J'ai eu autrefois une très agréable conversation avec un cambrioleur qui m'a appris un truc intéressant que l'on peut employer avec les portes-fenêtres lorsque la fermeture n'en est pas trop serrée.

Tout en parlant, il fit tourner la poignée de la porte-fenêtre de gauche, la crémone sortit du trou qui la retenait au sol et Poirot put tirer vers lui les deux battants de la fenêtre. Les ayant ouverts, il les referma sans tourner la poignée, de façon à ne pas engager la crémone dans son godet. Lâchant la poignée, il attendit un instant, puis frappa un coup brusque un peu au-dessus du milieu de la crémone. L'ébranlement du coup fit glisser la crémone dans son godet, la poignée tourna toute seule.

— Vous comprenez, mademoiselle ?

— Je le crois.

Susan était devenue toute pâle.

— La fenêtre est fermée maintenant, il est impossible d'entrer dans une pièce dont la porte-fenêtre est fermée, mais on peut en sortir et, en la frappant comme vous venez de le voir, on fait retomber la crémone et tourner la poignée. La porte-fenêtre est bien close et n'importe qui en la voyant assurerait qu'elle l'a été de l'*intérieur*.

— Est-ce là ce qui s'est produit hier soir ? demanda Susan d'une voix tremblante.

— J'en suis persuadé, mademoiselle.

— Et moi je n'en crois pas un mot ! s'écria la jeune fille avec violence.

Sans répondre, Poirot se dirigea vers la cheminée et se retourna vivement.

— Mademoiselle, j'ai besoin de vous comme témoin ; j'en ai déjà un, Mr Trent, qui m'a vu découvrir un petit éclat de miroir hier soir. Je lui en ai parlé et l'ai laissé sur place pour la police, j'ai même dit au commissaire que le miroir brisé était une preuve précieuse, mais il n'a pas profité de ma suggestion. A présent, vous êtes témoin que je place ce petit fragment de miroir (sur lequel, souvenez-vous-en, j'ai déjà attiré l'attention de Mr Trent) dans une petite enveloppe (il joignit l'action à la parole), j'y mets une inscription : *VOILA*, et je la cachette. Vous êtes témoin, mademoiselle ?

— Oui... mais... mais je ne comprends pas ce que cela signifie.

Poirot traversa la pièce et se plaçant devant le bureau regarda le miroir brisé sur le mur en face de lui.

— Je vais vous dire ce que cela signifie, mademoiselle. Si, étant placée ici hier soir, vous aviez regardé ce miroir, vous auriez pu voir commettre le crime.

## CHAPITRE XII

Pour la première fois de sa vie, Ruth Chevenix-Gore — maintenant Ruth Lake — descendit de bonne heure pour déjeuner. Hercule Poirot, qui se trouvait dans le hall, l'attira à l'écart avant qu'elle entre dans la salle à manger.

— J'ai une question à vous poser, madame.

— Je vous écoute.

— Vous êtes allée au jardin hier soir. Avez-vous à un moment quelconque pénétré dans la plate-bande fleurie qui se trouve devant les fenêtres du bureau de sir Gervase ?

— Oui, deux fois.

— Ah ! deux fois ? Comment cela ?

— La première fois pour cueillir des asters, il était environ sept heures.

— N'était-ce pas bien tard pour aller cueillir des fleurs ?

— Si. J'avais fleuri la maison hier matin, mais Wanda me dit, après le thé, que les fleurs de la salle à manger n'étaient pas assez fraîches ; j'avais pensé qu'elles pourraient encore servir ce soir-là, mais je suis allée en cueillir d'autres.

— C'est votre mère qui vous a demandé de le faire, c'est bien exact ?

— Oui. C'est pourquoi je suis allée au jardin peu avant sept heures. Je les ai prises dans cette plate-bande parce que presque personne ne fait le tour de la maison de ce côté, de sorte que cela ne gâtait pas l'effet décoratif.

— Bien ; mais la seconde fois ? Vous m'avez bien dit y être allée une seconde fois ?

— Oui, juste avant dîner, j'avais laissé tomber une goutte de brillantine sur ma robe, tout près de l'épaule, je n'avais pas envie de me changer à nouveau et aucune de mes fleurs artificielles ne pouvait aller avec le jaune de cette robe. Je me souvins alors d'avoir vu une rose d'automne en cueillant les asters, je courus la chercher et l'épinglai sur mon épaule.

Poirot eut un hochement de tête entendu.

— En effet, je me souviens vous avoir vu porter cette rose hier soir. Quelle heure était-il lorsque vous l'avez cueillie ?

— En vérité, je n'en sais rien.

— Mais c'est essentiel, madame. Réfléchissez, je vous en prie.

Ruth fronça les sourcils, jeta un coup d'œil à Poirot et détourna aussitôt son regard.

— Je ne puis vous le dire exactement, il devait être environ huit heures cinq, car, en contournant la maison pour rentrer, j'ai entendu le gong et tout de suite après ce drôle de coup. Je me dépêchais, car je croyais qu'il s'agissait du second coup de gong et non du premier.

— Ah ! c'est ce que vous avez pensé... et vous n'avez pas essayé de rentrer par la porte-fenêtre du bureau quand vous étiez dans la plate-bande qui la longe ?

— Si, je pensais la trouver ouverte et je serais rentrée plus vite. Mais elle était fermée.

— Ainsi tout s'explique. Je vous félicite, madame.

Elle le regarda, ébahie.

— Que voulez-vous dire ?

— Que vous avez une explication pour chaque chose, pour les empreintes de vos souliers dans la terre molle de la plate-bande, pour celles de vos doigts sur le montant de la porte-fenêtre. Tout cela est très commode.

Ruth n'eut pas le temps de répondre, miss Lingard descendait l'escalier en courant. Ses joues étaient en feu et elle parut saisie en voyant Poirot et Ruth ensemble.

— Excusez-moi, dit-elle. Qu'est-ce qui se passe ?

— Je crois que M. Poirot est devenu fou, dit Ruth avec colère.

Elle leur tourna le dos et entra dans la salle à manger. Miss Lingard regarda Poirot d'un air stupéfait. Il secoua la tête.

— Je vous expliquerai tout après le petit déjeuner. Je voudrais que tout le monde se rassemble dans le bureau de sir Gervase à dix heures.

Il répéta sa requête en entrant dans la salle à manger. Susan Cardwell lui jeta un rapide coup d'œil, puis regarda Ruth et lorsque Hugo s'écria : « Hé ? A quoi rime cette réunion ? », elle lui donna un coup de coude dans le côté et il se tut.

Son déjeuner terminé, Poirot se leva et tirant son gros « oignon » de sa poche :

— Il est dix heures moins cinq, dit-il. Rendez-vous dans cinq minutes au bureau.

. . . . . . . . . . . . . . . . . . . . . . . . . . . . . . . . . . . . . . . . . . .

Poirot regarda autour de lui, un cercle de visages intéressés le fixaient. Tout le monde était là, à une exception près et, au même instant, lady Chevenix-Gore

— l'exception — entra dans la pièce. Elle avait l'air égaré et paraissait malade.

Poirot lui avança un fauteuil, elle s'assit, regarda le miroir brisé, frissonna et détourna légèrement son siège.

— Gervase est encore ici, dit-elle. Pauvre Gervase... Il sera bientôt libre.

Poirot s'éclaircit la voix.

— Je vous ai tous réunis ici pour que vous puissiez entendre les véritables faits concernant le suicide de sir Gervase.

— C'est un coup du destin, dit lady Chevenix-Gore. Gervase était fort, mais le destin l'était plus que lui.

Le colonel Bury se pencha vers elle.

— Wanda... ma chère...

Elle lui sourit, prit sa main et lui dit :

— Vous êtes un tel réconfort pour moi, Ned.

Ruth eut un geste exaspéré.

— Devons-nous comprendre, monsieur Poirot, que vous avez établi de façon certaine la cause du suicide de mon père ?

— Non, madame.

— Alors, à quoi rime cette comédie ?

Poirot répondit avec calme :

— Je ne connais pas la cause du suicide de sir Gervase Chevenix-Gore, parce que sir Gervase ne s'est pas suicidé. Il a été tué...

— Tué ? s'écrièrent plusieurs voix, tandis que des visages égarés se tournaient vers Poirot.

— Tué ? Oh ! non, fit doucement lady Chevenix-Gore.

— Tué, avez-vous dit ? reprit Hugo. Impossible. Il n'y avait personne dans la pièce quand nous avons enfoncé la porte. Les portes-fenêtres étaient fermées, la porte aussi et la clé se trouvait dans la poche de mon oncle. Comment aurait-il pu être tué ?

— C'est néanmoins ce qui s'est produit.

— Et le meurtrier est sans doute sorti par le trou de la serrure ou s'est envolé par la cheminée ! s'écria le colonel Bury.

— Le meurtrier est parti par la porte-fenêtre, dit Poirot, et je vais vous montrer comment.

Il refit la manœuvre qu'il avait exécutée devant Susan.

— Vous voyez ? dit-il. C'est ainsi que cela a été fait ! Dès le début, la thèse du suicide m'est apparue comme peu vraisemblable. Un homme atteint d'une manie égocentrique aussi prononcée ne se tue pas.

« Et il y avait d'autres choses ! Apparemment, avant de mourir, sir Gervase s'était assis à son bureau, avait écrit *PARDON* sur une feuille de papier et s'était tiré une balle dans la tête, mais, avant ce dernier geste, il avait, pour un motif inconnu, changé la position de son fauteuil qui se trouvait de côté par rapport à son bureau. Pourquoi ? Une raison devait exister. Je commençai à y voir clair lorsque je trouvai, collé à la base d'une lourde statuette de bronze, un petit fragment de miroir...

« Je me demandai comment cette parcelle de glace brisée avait pu venir jusque-là et la réponse s'imposa à mon esprit. Le miroir n'avait pas été brisé par une balle, mais par cette lourde statuette de bronze. Il a été cassé volontairement.

« Pourquoi ? me demandai-je. Je revins près du bureau, regardai le fauteuil, et la vérité m'apparut. Rien ne cadrait. Aucun homme voulant se donner la mort n'irait tourner son fauteuil, se pencher sur le côté et se tirer une balle ensuite. Tout cela n'était qu'une mise en scène. Un habile maquillage.

« J'en viens à un détail important : le témoignage de miss Cardwell. Miss Cardwell m'a dit être descendue en toute hâte, hier soir, parce qu'elle croyait avoir entendu le second coup de gong. Ce qui veut dire qu'elle pensait avoir déjà entendu le premier coup.

« Réfléchissez maintenant : si sir Gervase avait été assis à son bureau dans une position normale au moment où il avait été tué, où serait allée la balle ? Filant en droite ligne, elle aurait traversé la porte, si celle-ci était ouverte, et finalement aurait heurté le gong et naturellement celui-ci aurait alors résonné.

« Il ne pouvait être question que sir Gervase se soit suicidé. Un mort ne peut se lever, fermer la porte et se placer dans une position anormale ! Quelqu'un d'autre était intervenu, il ne s'agissait donc pas d'un suicide, mais d'un crime. Quelqu'un dont la présence était familière à sir Gervase s'était placé à côté de lui. Peut-être écrivait-il ? Le meurtrier approche un revolver de sa tête du côté droit et tire. L'œuvre est accomplie ! Alors, prompt à agir, le meurtrier met des gants, ferme la porte à double tour et place la clé dans la poche de sir Gervase. Mais, à supposer que le coup de gong ait été entendu, on en conclura que la porte était ouverte et non fermée lors du coup de feu. Alors il tourne le fauteuil, place le corps de côté, presse les doigts du mort sur le revolver et brise volontairement le miroir. Puis le meurtrier sort par la porte-fenêtre, la referme d'un coup de poing comme je vous l'ai montré et s'enfuit, non en marchant sur le gazon, mais à travers la plate-bande où il sera facile d'effacer ses empreintes après coup, il contourne ensuite la maison et rentre par le salon.

Il s'interrompit et ajouta :

— *Une seule personne se trouvait dans le jardin quand le coup de feu a été tiré.* Cette personne a laissé l'empreinte de ses pas dans la plate-bande et celle de ses doigts sur l'extérieur de la fenêtre.

Il s'approcha de Ruth.

— Et il y avait un motif, n'est-il pas vrai ! Vore père avait appris votre mariage secret. Il se préparait à vous-déshériter.

— C'est un mensonge ! s'écria Ruth d'un ton méprisant. Il n'y a pas un mot de vrai dans votre histoire !

— Les preuves contre vous sont accablantes, madame. Un jury peut vous croire, je ne le puis pas.

— Elle n'aura pas à faire face à un jury !

Tous se retournèrent, saisis. Miss Lingard était debout, le visage décomposé, tremblant de tout son corps.

— Je l'ai tué. Je le reconnais ! J'avais mes raisons pour cela... et j'attendais mon heure depuis un certain temps. M. Poirot a vu juste. Je l'ai suivi ici, j'avais pris d'avance le revolver dans le tiroir. Je me suis mise à côté de lui pour lui parler de son livre... et j'ai tiré. Huit heures venaient de sonner, la balle a frappé le gong, je n'aurais jamais imaginé qu'elle lui aurait traversé la tête de part en part comme cela. Je n'avais pas le temps d'aller la ramasser dehors, je fermai la porte et mis la clé dans sa poche. Puis je fis tourner son fauteuil, brisai le miroir, et, après avoir écrit *PARDON* sur une feuille de papier, je sortis par la porte-fenêtre que je refermai au moyen du truc que M. Poirot vous a montré. Je traversai la plate-bande, mais j'effaçai mes empreintes avec un râteau que j'y avais déposé d'avance. Puis je rentrai au salon dont j'avais laissé la fenêtre ouverte. J'ignorais que Ruth était sortie par là, elle devait avoir fait le tour par le devant de la maison au moment où je le faisais par-derrière, car il fallait que je remette le râteau dans le hangar aux outils. J'attendis au salon jusqu'au moment où j'entendis quelqu'un descendre et Snell qui allait frapper le gong, puis...

Elle regarda Poirot.

— Vous ne savez pas ce que j'ai fait ensuite ?

— Oh ! si. J'ai trouvé le sac de papier dans la corbeille. C'était une idée très ingénieuse, vous avez agi comme le font les enfants pour s'amuser en soufflant dans le sac et en le faisant éclater, ce qui imitait assez bien une détonation, puis vous avez jeté le sac dans la corbeille et vous vous êtes précipitée dans le hall. Vous aviez ainsi fixé l'heure du suicide... et créé un alibi pour vous-même. Mais un détail vous tourmentait : vous n'aviez pas eu le temps de ramasser la balle qui devait se trouver quelque part près du gong. Or, il était essentiel qu'on la découvrît dans le bureau, près du miroir. Je ne sais pas quand vous avez eu l'idée de prendre le crayon du colonel Bury...

— Juste au moment où nous revînmes tous ici venant du hall. Je fus surprise de trouver Ruth au salon et compris qu'elle devait être rentrée du jardin par la porte-fenêtre. Puis je remarquai sur la table de bridge le crayon du colonel Bury et le glissai dans mon sac. Si plus tard quelqu'un me voyait ramasser la balle, je pourrais prétendre qu'il s'agissait du crayon. En fait, je crois que personne ne me vit ramasser cette balle, je la laissai tomber près du miroir pendant que vous regardiez le corps. Quand vous m'avez interrogée à ce sujet, j'ai été enchantée d'avoir songé à prendre le crayon.

— C'était en effet très habile. Cela m'a dérouté complètement.

— Je craignais que quelqu'un ait entendu la vraie détonation, mais je savais tout le monde en train de s'habiller dans les chambres et les domestiques dans le quartier du personnel. La seule personne susceptible de l'entendre était miss Cardwell, mais elle croirait probablement que cela provenait d'une auto. Ce qu'elle a entendu était le gong. Je croyais... Je croyais que tout s'était passé sans accroc...

Mr Forbes déclara lentement de son ton solennel :

— C'est une histoire extraordinaire qui semble n'avoir aucun mobile.

— Il y avait un mobile, dit posément miss Lingard. Allez donc, appelez la police, qu'attendez-vous ? s'écriat-elle avec violence.

— Je vous prie de sortir tous, dit doucement Poirot. Mr Forbes, veuillez téléphoner au major Riddle. Je resterai ici jusqu'à son arrivée.

Lentement, l'un après l'autre, tous les membres de la famille quittèrent la pièce. Déconcertés, ahuris, bouleversés, ils jetaient des regards furtifs sur la personne soignée aux cheveux gris bien coiffés qui se tenait très droite au milieu de la pièce.

Ruth fut la dernière à partir. Elle s'arrêta sur le seuil et, se tournant d'un air de défi vers Poirot, s'écria avec colère.

— Je ne comprends pas. Il y a un instant, vous pensiez que c'était moi la coupable !

— Mais non, répondit Poirot, je n'ai jamais eu cette idée.

Ruth sortit lentement, Poirot resta seul avec l'élégante petite femme qui venait d'avouer un crime si intelligemment conçu et froidement exécuté.

— Non, dit miss Lingard, vous ne l'avez pas crue coupable, mais vous l'avez accusée pour m'obliger à parler. C'est bien cela ?

Poirot inclina la tête.

— Pendant que nous attendons, ajouta miss Lingard sur le ton de la conversation, vous pourriez me dire ce qui vous a fait me soupçonner.

— Plusieurs choses. Tout d'abord les renseignements que vous nous avez donnés sur sir Gervase. Un homme aussi orgueilleux que lui n'aurait jamais voulu parler de son neveu d'une façon aussi désobligeante à une étrangère, surtout à une personne dans votre situation. Vous vouliez renforcer l'hypothèse du suicide. Vous êtes également allée trop loin en suggérant que la cause du suicide était quelque histoire déshonorante se rattachant à Hugo Trent. C'est encore une des choses que sir Gervase n'aurait jamais avouée à une étrangère. Puis il y eut l'objet que vous avez ramassé dans le corridor et le fait très significatif que vous n'ayez pas dit que Ruth, lorsqu'elle entra au salon, venait *du jardin*. Enfin je trouvai le sac de papier — un objet qu'il était inconcevable de découvrir dans la corbeille à papiers du salon dans une maison aussi bien tenue qu'Hamborough Close ! Vous étiez la seule personne se trouvant au salon lorsque la « détonation » fut entendue. Le truc du sac de papier était l'un de ceux qui devait naturellement se présenter à l'esprit d'une femme. Ainsi tout s'adaptait : vos efforts pour jeter la suspicion sur Hugo et l'écarter de Ruth. Le mécanisme du crime... et son mobile.

La petite femme aux cheveux gris tressaillit :

— Vous connaissez le mobile ?

— Je le crois. Le bonheur de Ruth, voilà le mobile !
J'imagine que vous l'aviez vue avec John Lake et vous
saviez ce qu'il en était. Puis, ayant facilement accès aux
papiers de sir Gervase, vous avez découvert le projet du
nouveau testament qui déshéritait Ruth si elle n'épousait pas Hugo. Cela vous décida à faire justice vous-
même en vous servant du fait que sir Gervase m'avait
écrit. Vous aviez sans doute lu une copie de sa lettre. Je
ne sais quel mélange de suspicion et de crainte l'avait à
l'origine incité à m'écrire, sans doute soupçonnait-il
Burrows ou Lake de le voler systématiquement. Son
incertitude sur les véritables sentiments de Ruth lui faisait aussi désirer une enquête secrète. Vous exploitez
habilement cet état d'esprit, le renforçant en assurant
que sir Gervase était très déprimé par une affaire
concernant Hugo Trent. En dernière heure, vous
m'appelez par un télégramme. Puis vous me racontez
qu'après avoir demandé qu'on aille me chercher à la
gare, sir Gervase murmura que j'arriverais « trop
tard ».

— Gervase Chevenix-Gore était une brute, un snob,
une outre gonflée ! s'écria miss Lingard avec violence.
Je n'allais pas lui laisser détruire le bonheur de Ruth.

Poirot la considéra avec bonté.

— Ruth est votre fille ? dit-il doucement.

— Oui. Je pensais sans cesse à elle. Lorsque j'appris
que sir Gervase demandait quelqu'un pour l'aider à
écrire son histoire de la famille, je sautai sur l'occasion
de voir ma fille. Seule lady Chevenix-Gore m'avait vue ;
mais j'étais toute jeune et jolie, je savais qu'elle ne me
reconnaîtrait pas tant j'ai vieilli et de plus, j'ai changé
de nom. J'aimais bien lady Wanda, mais je détestais

toute la famille Chevenix-Gore qui m'avait traitée comme la dernière des dernières. A présent Gervase allait gâcher toute la vie de Ruth par son orgueil !

Alors je décidai qu'elle serait heureuse.

Elle le sera *si elle ne sait jamais rien de moi* !

C'était une prière, non une question.

— Personne n'en saura rien par moi, répondit doucement Poirot.

— Merci, dit miss Lingard apaisée.

. . . . . . . . . . . . . . . . . . . . . . . . . . . . . . . . . . . . . . . .

Plus tard, lorsque la police eut emmené la prisonnière, Poirot rencontra Ruth Lake et son mari dans le jardin.

— Avez-vous réellement cru que j'avais commis ce crime, monsieur Poirot ? demanda Ruth.

— Je savais que vous ne l'auriez pas pu, madame, à cause des asters.

— Des asters ? Je ne comprends pas.

— Madame, il y avait quatre empreintes, quatre seulement, dans la plate-bande, mais puisque vous y aviez cueilli des fleurs, il devait en exister bien davantage. Cela signifiait qu'entre votre première entrée dans le parterre et la seconde, quelqu'un a effacé vos traces de pas. Cela ne pouvait avoir été fait que par le coupable et, puisque vos dernières empreintes n'avaient pas été effacées, cela signifiait que vous n'étiez pas coupable et vous innocentait automatiquement.

Le visage de Ruth s'éclaira.

— Cette femme a commis un acte odieux. Mais elle a avoué plutôt que de me laisser arrêter. C'est généreux et courageux, car ce doit être épouvantable d'affronter

l'épreuve d'un procès criminel, de subir la condamna-
tion puis... la peine.

— Ne pensez pas à cela, dit doucement Poirot, elle
n'ira pas jusque-là. Le docteur m'a dit qu'elle a le cœur
très malade et qu'elle ne vivra plus que quelques
semaines.

— Je préfère cela, dit Ruth en se baissant pour cueillir un crocus d'automne. Je me demande deux choses
pourquoi elle a tué le cher Ancêtre, et pourquoi je ne
peux m'empêcher de dire « pauvre femme » ?

FIN

# FEUX D'ARTIFICE

*(Murder in the mews)*

# CHAPITRE PREMIER

— Un penny pour le Guy (1), m'sieur ?

Un petit garçon tout barbouillé de suie tendait la main en souriant.

— Certainement pas ! s'écria l'inspecteur Japp, et écoute un peu, mon bonhomme...

Suivit une courte homélie. Le gosse battit précipitamment en retraite, et s'écria en rejoignant ses amis

— Zut, alors ! J'suis tombé sur un flic ! En grand tralala.

La bande déguerpit aussitôt en chantant :

*Souvenez-vous, souvenez-vous !*
*Du cinq novembre !*
*Conspiration des poudres et trahison,*
*Nous ne voyons aucune raison*
*Pour que complot et trahison*
*Soient à jamais oubliés.*

(1) Effigie burlesque de Guy Fawkes, le chef de la Conspiration des Poudres, que les gamins portent en procession et brûlent le 5 novembre.

Le compagnon de l'inspecteur, un petit homme d'un
certain âge, qui avait une grosse tête en forme d'œuf et
des moustaches d'aspect militaire, sourit.

— Très bien, Japp, dit-il. Vous prêchez parfaitement, je vous félicite.

— Cette journée de Guy Fawkes n'est qu'un mauvais prétexte pour mendier ! dit Japp.

— C'est une ancienne coutume intéressante, dit Hercule Poirot. Les pétards et les feux d'artifice continuent
longtemps après que l'homme qu'ils commémorent et
ses hauts faits sont oubliés.

L'homme de Scotland Yard en convint.

— Je ne pense pas que beaucoup de ces gamins
savent réellement qui était Guy Fawkes.

— Et bientôt on se demandera si c'est en son hon-
neur ou par exécration que les feux d'artifice sont allu-
més. Etait-ce un péché ou une action d'éclat que de
faire sauter le Parlement anglais ?

Japp rit sous cape.

— Certaines personnes opineraient sûrement pour la
seconde hypothèse.

Quittant la rue principale, les deux hommes passèrent
dans le calme relatif d'une ruelle des Mews (1). Ils
avaient dîné ensemble et prenaient ce raccourci pour
rejoindre l'appartement d'Hercule Poirot.

On entendait encore périodiquement exploser des
pétards, et une pluie d'or illuminait parfois le ciel.

— Voilà une nuit favorable au crime, remarqua Japp
avec un intérêt professionnel. Personne ne distinguerait
un coup de feu dans toutes ces explosions.

---

(1) Quartier de Londres où étaient autrefois les écuries.

— J'ai toujours trouvé étrange que les criminels n'en profitent pas davantage, dit Hercule Poirot.

— Savez-vous, Poirot, que je souhaite parfois vous voir commettre un crime.

— Mon cher !

— Oui, j'aimerais savoir comment vous vous y prendriez.

— Mon cher Japp, *si* je commettais un crime, vous n'auriez pas la moindre chance de découvrir comment je m'y serais pris, vous ne vous apercevriez même pas qu'un crime a été commis !

Japp rit avec bonne humeur.

— Espèce de petit démon effronté ! lui dit-il affectueusement.

. . . . . . . . . . . . . . . . . . . . . . . . . . . . . . . . . . . . . . . . . . . . .

A dix heures et demie, le lendemain matin, le téléphone sonna chez Hercule Poirot.

— Allô ! C'est vous, Poirot ?

— Oui, c'est moi.

— Ici, Japp. Vous vous souvenez que la nuit dernière nous avons traversé Bardsley Gardens Mews ?

— Oui.

— Et que nous avons remarqué combien il serait facile de tuer quelqu'un pendant toutes ces explosions de feux d'artifice ?

— Certainement.

— Eh bien ! il y a eu un suicide dans cette ruelle, au numéro 14. Une jeune veuve. Mrs Allen. Je vais là-bas tout de suite. Aimeriez-vous venir aussi ?

— Excusez-moi, mon cher ami. A-t-on l'habitude d'envoyer quelqu'un de votre importance pour s'occuper d'un suicide ?

— Malin singe ! Non, ce n'est pas l'habitude. En fait, notre médecin trouve que ce décès a quelque chose de louche. Voulez-vous venir ? J'ai l'impression que vous devriez vous intéresser à ce cas.

— Entendu, je vous rejoins au numéro 14.

. . . . . . . . . . . . . . . . . . . . . . . . . . . . . . . . . . . . . . . . . . . . . . . . . . . . . . . .

Poirot arriva au numéro 14, Bardsley Gardens Mews, presque en même temps que la voiture de police amenant Japp et trois hommes.

Le numéro 14 était manifestement le centre d'un grand intérêt, une foule de curieux faisaient cercle devant la maison. Un policier en tenue, debout sur le seuil, s'efforçait d'en dégager l'entrée.

Apercevant la voiture de police un groupe de jeunes gens munis d'appareils photographiques se précipitèrent vers le commissaire Japp.

— Je n'ai rien à vous dire en ce moment, leur dit-il, puis, se retournant vers Poirot : Nous voici arrivés, allons-y.

Ils passèrent rapidement la porte qui se referma derrière eux et se trouvèrent au pied d'un escalier raide comme une échelle, l'homme qui les guettait du haut reconnut Japp.

— Par ici, monsieur.

Japp et Poirot gravirent l'escalier, le policier ouvrit une porte à gauche et ils se trouvèrent dans une petite chambre à coucher.

— Eh bien, Jameson, dit Japp. Mettez-nous au courant.

L'inspecteur divisionnaire Jameson obéit.

— La morte est une Mrs Allen qui habitait ici avec une amie, une miss Plenderleith. Miss Plenderleith, qui séjournait à la campagne, est revenue ce matin. En rentrant avec sa clé, elle fut surprise de ne trouver personne dans la maison. Une femme de journée vient d'habitude à neuf heures faire leur ménage. Elle monta d'abord dans sa chambre — celle où nous sommes, puis traversa le palier pour aller dans la chambre de son amie. Celle-ci était fermée à clé, elle frappa, appela sans obtenir aucune réponse. Inquiète à juste titre, elle téléphona à la police, il était alors dix heures quarante-cinq. Nous arrivâmes immédiatement et forçâmes la porte. Mrs Allen gisait sur le sol, tuée d'une balle dans la tête, elle avait encore son revolver à la main... un Webley 25... le suicide paraissait évident.

— Où se trouve miss Plenderleith en ce moment ?

— En bas au salon. C'est une jeune fille pleine de sang-froid, très intelligente. Elle ne perd pas la tête.

— Je vais aller lui parler, mais auparavant je tiens à voir Brett.

Accompagné de Poirot, il traversa le palier et entra dans la chambre d'en face. Un homme d'un certain âge, très grand, l'accueillit.

— Hello ! Japp ! Je suis heureux de vous voir ici. Cette affaire me paraît louche.

Pendant que Japp conversait avec Brett, Poirot parcourut la pièce d'un rapide coup d'œil. Elle était beaucoup plus grande que celle qu'ils venaient de quitter, possédait une grande baie en saillie et, tandis que l'autre pièce était une simple chambre à coucher, celle-ci avait été transformée en salon.

Les murs étaient gris argent et le plafond vert émeraude ; des rideaux assortis aux dessins modernes, un divan recouvert d'une soie verte garni de nombreux coussins or et argent, un grand bureau ancien en noyer, un secrétaire de même style et plusieurs sièges modernes en métal chromé complétaient l'ameublement. Sur une table de verre se trouvait un cendrier plein de mégots.

Hercule Poirot renifla l'air et rejoignit Japp qui regardait le cadavre.

Ecroulé au pied d'un des fauteuils d'où il était visiblement tombé, se trouvait le corps d'une jeune femme d'environ vingt-sept ans, cheveux blonds, traits fins, joli visage à peine maquillé mais, semblait-il, un peu niais. Sur le côté gauche de la tête on voyait une masse de sang coagulé. Les doigts de la main droite serraient étroitement un petit revolver. La femme était vêtue d'une simple robe vert foncé montant jusqu'au ras du cou.

— Eh bien ! Brett, qu'est-ce qui vous tracasse ? demanda Japp qui considérait la morte.

— Sa position est naturelle, dit le docteur ; si elle s'est tuée, elle aurait bien pu glisser de son fauteuil dans la position où elle se trouve actuellement. Porte et fenêtre étaient fermées de l'intérieur.

— C'est naturel, dites-vous ? Alors qu'est-ce qui ne va pas ?

— Regardez le revolver. Je n'y ai pas touché en attendant qu'on relève les empreintes, mais vous verrez bien ce que je veux dire.

Poirot et Japp s'agenouillèrent pour examiner l'arme de près.

— Je comprends votre pensée, dit Japp en se levant, c'est la courbure de la main qui vous tracasse. Elle a l'air de tenir le revolver, mais, en fait, elle ne le tient pas du tout. Autre chose encore ?

— Beaucoup d'autres. Elle tient l'arme de la main

*droite*, regardez maintenant la blessure. Le revolver a été appuyé sur la tête au-dessus de l'oreille *gauche*... L'oreille *gauche*, notez-le bien.

— Hum ! dit Japp. Cela semble évident, elle ne pouvait s'atteindre à cet endroit en tenant le revolver de la main droite.

— Absolument impossible, elle aurait peut-être pu tenir l'arme à bout de bras, mais n'aurait pu tirer.

— A n'en pas douter quelqu'un l'a tuée et a tenté de faire croire au suicide. La porte et la fenêtre étaient bien fermées ?

Ce fut l'inspecteur Jameson qui répondit :

— La fenêtre était verrouillée de l'intérieur et la porte fermée, mais nous n'avons pas pu trouver la clé.

— Ah ! fit Japp, c'est une gaffe énorme. Celui qui a fait le coup a fermé la porte en partant et espéré que nous ne remarquerions pas l'absence de la clé.

Poirot murmura :

— *C'est bête ça* (1) !

— Oh ! voyons, Poirot, mon ami, il ne faut pas juger tout le monde à la lumière de votre éblouissante intelligence ! En fait, ce petit détail peut fort bien passer inaperçu. Une porte est fermée... On l'enfonce... Une femme morte gît à terre, revolver en main... C'est un suicide évident... Elle s'est enfermée pour l'accomplir. On ne va pas fouiller partout pour trouver la clé. En fait, miss Plenderleith a eu de la chance d'appeler la police, elle aurait pu demander à un ou deux chauffeurs d'enfoncer la porte et la question de la clé aurait été complètement négligée.

— C'est sans doute vrai, dit Poirot ; cela aurait été la

---

(1) En français dans le texte.

réaction naturelle de la plupart des gens. La police est la
dernière ressource, n'est-ce pas ?

Il continuait à fixer le cadavre.

— Etes-vous frappé par un détail ? demanda Japp.

Hercule Poirot hocha la tête.

— Je regardais son bracelet-montre.

Il se pencha et le toucha du bout du doigt. C'était
une jolie montre sertie de diamants maintenue par un
ruban de moire noire sur le poignet de la main qui
tenait le revolver.

— C'est un beau bijou, observa Japp. Il a dû coûter
cher ! Il jeta un coup d'œil inquisiteur à Poirot. Il y a
peut-être quelque chose là-dedans ?

— C'est possible.

Poirot se dirigea vers le bureau à cylindre dont le
dessus était coquettement orné d'une garniture assortie
à la pièce : grand encrier d'argent au centre, devant un
beau sous-main vert ; à gauche, un plumier vert émeraude contenant un porte-plume en argent, un bâton de
cire à cacheter verte, un crayon et deux timbres ; à
droite, un calendrier mobile indiquant le jour de la
semaine, la date et le mois. Il y avait aussi un petit vase
de verre contenant une étincelante plume d'oie verte qui
parut intéresser vivement Poirot. Il l'examina de près,
mais elle n'avait pas la moindre trace d'encre et ne
servait que d'ornement. Le porte-plume d'argent taché
d'encre était seul utilisé. Il regarda le calendrier.

— Mardi 5 novembre, dit Japp. C'était hier, tout
concorde. (Il se tourna vers Brett.) Depuis combien de
temps est-elle morte ?

— Elle a été tuée hier soir à onze heures trente-trois,
répondit vivement Brett, qui sourit en voyant l'expression de surprise de Japp.

— ... Excusez-moi, mon vieux, dit-il. J'ai voulu jouer au magicien ! En fait, onze heures est l'heure approximative que je puis fixer en autorisant une marge d'une heure avant ou après.

— Oh ! je croyais que la montre était arrêtée !

— Elle s'est arrêtée, en effet ; mais à quatre heures un quart.

— Et je suppose qu'elle n'a pas pu être tuée à cette heure-là ?

— Non, vous pouvez en être certain.

Poirot avait ouvert le sous-main de cuir.

— Excellente idée, fit Japp, mais pas de chance !

Le buvard blanc était absolument vierge. Poirot reporta son attention sur la corbeille à papiers, elle ne contenait que deux ou trois lettres et circulaires déchirées en deux qu'il fut aisé de reconstituer : une demande de secours pour une association d'anciens combattants, une invitation à un cocktail le 3 novembre et un rendez-vous de couturière. Quant aux circulaires, elles annonçaient des soldes de fourrure et une vente réclame.

— Rien d'intéressant, dit Japp.

— Non, c'est étrange, déclara Poirot.

— Vous voulez dire qu'on trouve d'ordinaire une lettre lorsqu'il s'agit d'un suicide ?

— Exactement.

— En fait, c'est une preuve de plus que ce n'est pas un suicide.

Il se dirigea vers la porte.

— Je vais mettre mes hommes au travail. Nous ferions mieux de descendre pour interroger miss Plenderleith. Vous venez, Poirot ?

Hercule Poirot, qui semblait toujours fasciné par le

bureau et son équipement, le quitta à regret ; arrivé à la porte, il se retourna pour regarder une fois de plus l'étincelante plume d'oie verte.

## CHAPITRE II

Au pied de l'étroit escalier, une porte donnait accès à un spacieux living-room installé dans ce qui était autrefois des écuries. Les murs recouverts d'une sorte de crépi rugueux étaient ornés d'eaux-fortes et de gravures sur bois.

Deux personnes se trouvaient dans la pièce. L'une, assise près de la cheminée, tendant ses mains vers la chaleur du foyer, était une jeune femme brune à l'air intelligent, paraissant avoir vingt-sept ou vingt-huit ans. L'autre, une femme d'un certain âge, assez volumineuse, un filet à la main, tout essoufflée, parlait avec volubilité lorsque les deux hommes entrèrent.

— ... Comme je vous l'ai dit, miss, ça m'a donné un tel coup que j'ai failli tomber par terre. Et dire que ce matin, entre tous les matins...

L'autre lui coupa la parole.

— Cela suffit, Mrs Pierce. Ces messieurs sont de la police, je crois ?

— Miss Plenderleith ? demanda Japp.

— Moi-même, et voici Mrs Pierce qui vient chaque jour faire notre ménage.

L'intarissable Mrs Pierce sévit à nouveau :

— Comme je le disais à miss Plenderleith, dire que ce matin entre tous les matins, ma sœur Louisa Maud a eu une attaque, et que moi, sa seule parente, j'ai dû y aller et, vous savez ce que c'est : la famille, c'est la famille ; je n'ai pas pensé que cela ennuierait Mrs Allen, bien que je n'aime pas faire faux bond à mes pratiques...

Japp se hâta d'intervenir.

— C'est très vrai, Mrs Pierce, ayez la bonté d'emmener l'inspecteur Jameson dans la cuisine pour lui donner un bref témoignage.

S'étant débarrassé de la volubile Mrs Pierce, Japp se tourna vers la jeune fille.

— Je suis l'inspecteur principal Japp. Je désirerais entendre tout ce que vous pourrez me dire au sujet de cette affaire, miss Plenderleith.

— D'accord. Par où dois-je commencer ?

Son sang-froid était remarquable en dehors d'une rigidité qui semblait presque anormale, elle ne manifestait ni chagrin ni bouleversement.

— A quelle heure êtes-vous arrivée ce matin ?

— Je crois qu'il était à peine dix heures et demie. Mrs Pierce, cette vieille menteuse, n'était pas là, je trouvai...

— Cela se produisait-il fréquemment ?

Jane Plenderleith haussa les épaules.

— Environ deux fois par semaine elle arrive à midi... ou même pas du tout. Or, elle doit, en principe, venir à neuf heures ; mais, comme je vous le disais, deux fois par semaine, elle se sent « toute drôle » ou un membre de sa famille est tombé subitement malade. Toutes ces femmes de ménage sont ainsi, elles vous manquent de parole de temps en temps. Mrs Pierce n'est pas l'une des pires.

— Vous l'avez depuis longtemps ?

— Depuis un peu plus d'un mois. La précédente nous volait.

— Continuez, je vous prie.

— Je payai mon taxi, déposai ma valise à l'intérieur, cherchai sans la trouver Mrs Pierce et montai dans ma chambre. Après avoir rangé mes effets, je traversai le palier pour aller voir Barbara — Mrs Allen. La porte était fermée. Après avoir longuement frappé sans obtenir de réponse, je descendis téléphoner à la police.

— Pardon ! fit vivement Poirot. Vous n'avez pas eu l'idée d'essayer d'enfoncer la porte... avec l'aide d'un des chauffeurs des Mews, par exemple ?

Elle se tourna vers lui.

— Non, je ne crois pas y avoir pensé. S'il était arrivé quelque chose, il me semblait que la police devait être la première avertie.

— Vous avez donc pensé — excusez-moi, mademoiselle — qu'il était arrivé quelque chose ?

— Naturellement.

— Parce qu'on ne vous répondait pas ? Mais votre amie aurait pu être sous l'influence d'un somnifère.

— Elle ne prenait jamais de somnifère.

La réponse avait été brusque.

— Ou bien, elle aurait pu sortir et fermer sa porte à clé avant de s'en aller ?

— Pourquoi l'aurait-elle fermée ? De toute façon, elle m'aurait laissé un mot.

— Et elle ne vous en a pas laissé ? Vous en êtes tout à fait sûre ?

— Evidemment, car je l'aurais vu tout de suite.

La brusquerie de son ton s'était accentuée.

— Vous n'avez pas essayé de regarder par le trou de la serrure, miss Plenderleith ? demanda Japp.

— Non, dit lentement Jane Plenderleith, je n'y ai pas pensé. Mais je n'aurais rien pu voir, n'est-ce pas ? Car la clé aurait bouché la serrure ?

Son regard interrogateur, innocent, croisa celui de Japp. Poirot sourit.

— Vous avez très bien agi, bien entendu, miss Plenderleith. Je suppose que vous n'aviez aucun motif de croire que votre amie était susceptible de se suicider ?

— Oh ! non !

— Elle ne semblait pas soucieuse, ou peinée de quelque manière ?

Il y eut un silence, un silence assez long avant que la jeune fille réponde :

— Non.

— Saviez-vous qu'elle possédait un revolver ?

Jane Plenderleith inclina la tête.

— Oui, elle se l'était procuré aux Indes et le rangeait dans un tiroir de sa chambre.

— Hum ! Avait-elle une licence ?

— Je suppose que oui, mais n'en suis pas certaine.

— Je désire que vous me disiez maintenant tout ce que vous savez de Mrs Allen. Depuis combien de temps la connaissez-vous, où se trouvent ses parents, etc...

Jane Plenderleith prit un temps.

— Je connaissais Barbara depuis environ cinq ans, je l'ai rencontrée à l'étranger... En Egypte pour être précise. Elle rentrait des Indes. J'avais passé un certain temps à l'Ecole britannique d'Athènes et séjournais quelques semaines en Egypte avant de revenir en Angleterre. Nous étions toutes deux en croisière sur le

Nil et nous liâmes d'amitié. Je cherchais à l'époque une personne qui consentirait à partager un appartement ou une petite maison avec moi. Barbara était seule au monde. Nous eûmes l'impression que nous nous entendrions très bien.

— Et vous êtes-vous bien entendues ? demanda Poirot.

— Parfaitement. Nous avions chacune nos amis personnels. Barbara était plus mondaine que moi, je fréquentais davantage des artistes. Cela a sans doute mieux marché ainsi.

Poirot approuva d'un signe.

— Que savez-vous de la famille de Mrs Allen et de sa vie avant de vous avoir rencontrée ? poursuivit Japp.

Jane Plenderleith haussa les épaules.

— Pas grand-chose. Son nom de jeune fille était Armitage, je crois.

— Et son mari ?

— Je crois qu'il n'était pas très intéressant. Il buvait, d'après ce que j'ai compris, et il est mort un an ou deux après le mariage. Ils avaient eu une petite fille qui mourut à l'âge de trois ans. Barbara ne parlait guère de son mari, je crois qu'elle l'avait épousé aux Indes quand elle avait dix-sept ans. Ils allèrent à Bornéo ou dans l'un de ces endroits perdus où l'on envoie tous les propres à rien... Mais c'était un sujet manifestement pénible que je n'abordais jamais.

— Savez-vous si Mrs Allen avait des soucis d'argent ?

— Oh ! non ! Je suis certaine qu'elle n'en avait pas.

— Pas de dettes... ? Rien de ce genre ?

— Oh ! non ! Je suis sûre qu'elle n'avait aucune difficulté.

— Encore une question un peu délicate, mais j'espère que vous ne vous en froisserez pas, miss Plenderleith. Mrs Allen avait-elle un homme... ou plusieurs hommes dans sa vie ?

Jane Plenderleith se raidit.

— Elle était fiancée, si cela répond à votre question, déclara-t-elle froidement.

— Quel est le nom de ce fiancé ?

— Charles Laverton-West. Il est député du Hampshire.

— Le connaissait-elle depuis longtemps ?

— Depuis un peu plus d'un an.

— De quand datent leurs fiançailles ?

— De deux... Non, presque de trois mois.

— Et, à votre connaissance, il n'y a pas eu de querelle ?

Miss Plenderleith secoua la tête.

— Non, et je serais fort surprise qu'il s'en soit produit. Barbara n'était pas d'humeur batailleuse.

— Quand avez-vous vu Mrs Allen pour la dernière fois ?

— Vendredi dernier, juste avant de partir en week-end.

— Mrs Allen devait rester en ville ?

— Oui, je crois qu'elle devait sortir dimanche avec son fiancé.

— Où avez-vous passé votre week-end ?

— A Laidells Hall, dans l'Essex.

— Chez qui avez-vous séjourné ?

— Chez Mr et Mrs Bentinck.

— Vous ne les avez quittés que ce matin ?

— Oui.

— Il vous a fallu partir de très bonne heure.

— Mr Bentinck m'a ramenée en voiture, il devait être à la Cité avant dix heures.

— Je comprends.

Les réponses de miss Plenderleith, faites d'un ton tranchant, étaient toutes convaincantes.

— Quelle est votre opinion personnelle sur Mr Laverton-West ? demanda Poirot.

La jeune fille haussa les épaules.

— Cela a-t-il de l'importance ?

— Peut-être pas, mais j'aimerais avoir votre avis.

— Je ne crois pas en avoir de bien défini. Il est jeune — pas plus de trente et un ou trente-deux ans — ambitieux... excellent orateur et il a l'intention de faire son chemin dans le monde.

— Voilà pour le côté favorable ; je voudrais connaître l'autre.

— Eh bien... (Miss Plenderleith réfléchit.) A mon avis, il est assez commun, ses idées n'ont rien de particulièrement original et il est un peu suffisant.

— Ce ne sont pas de bien graves défauts, mademoiselle, dit Poirot en souriant.

— Croyez-vous ?

Le ton était légèrement ironique.

— Ils le sont peut-être pour vous.

Il l'observait ; la voyant assez déconcertée, il poussa son avantage.

— Mais pas pour Mrs Allen, qui ne les aurait sans doute pas remarqués ?

— Vous avez parfaitement raison. Barbara le trouvait merveilleux... et le prenait tout à fait pour ce qu'il croyait être.

— Vous aimiez beaucoup votre amie ? dit doucement Poirot.

Il vit la main de la jeune fille se crisper sur son genou et ses traits se durcir, mais la voix ne trahit aucune émotion lorsqu'elle répondit :

— Vous avez tout à fait raison. Je l'aimais.

Japp intervint.

— Encore une question, miss Plenderleith : vous ne vous êtes pas querellée avec votre amie ? Il n'y a pas eu de différend entre vous ?

— Aucun.

— Pas même au sujet de ses fiançailles ?

— Certainement pas. J'étais contente de la voir si heureuse.

Il y eut un silence.

— Savez-vous si Mrs Allen avait des ennemis ? demanda Japp.

Cette fois, elle mit beaucoup plus longtemps à répondre et lorsqu'elle le fit son ton s'était légèrement modifié.

— Je ne sais pas ce que vous entendez par « ennemis ».

— Quelqu'un qui, par exemple, bénéficierait de sa mort.

— Et qui doit en hériter ?

— Mais je n'en sais rien. Je ne serais pas étonnée d'être son héritière si elle a jamais fait son testament.

Jane Plenderleith parut surprise.

— Et pas d'ennemis dans un autre sens ? dit Japp. Des gens ayant des griefs contre elle ?

— Je ne crois pas que quelqu'un ait jamais pu lui en vouloir. C'était une douce créature, toujours prête à faire plaisir. Elle avait une nature charmante.

Pour la première fois, la voix dure se brisa. Poirot eut un hochement de tête compréhensif.

— Ainsi, fit Japp, tout se résume à ceci : Mrs Allen était d'excellente humeur ces temps derniers, elle n'avait aucun souci financier, elle était fiancée à un homme qui lui plaisait beaucoup. Il n'existait rien au monde qui pût l'inciter à se suicider. C'est bien cela ?

Il y eut un assez long silence.

— Oui, dit enfin Jane.

Japp se leva.

— Excusez-moi, je dois dire un mot à l'inspecteur Jameson.

Il sortit de la pièce. Hercule Poirot restait en tête à tête avec Jane Plenderleith.

### CHAPITRE III

Le silence dura quelques minutes. Jane Plenderleith, après avoir jeté un coup d'œil appréciateur sur le petit homme, fixait le vide sans mot dire tout en ayant conscience de sa présence, car elle manifestait une certaine tension nerveuse. Son corps immobile n'était pas détendu et quand Poirot rompit enfin le silence, le seul son de sa voix parut lui apporter un certain soulagement.

— Quand avez-vous allumé ce feu, mademoiselle ? demanda-t-il.

— Le feu ? répéta-t-elle d'un air absent. Oh ! dès mon arrivée ce matin.

— Avant de monter là-haut ou après ?

— Avant.

— Oui, naturellement... Etait-il préparé d'avance ou avez-vous eu à le faire ?

— Il était tout prêt, je n'ai eu qu'à craquer une allumette.

Sa voix trahissait une certaine impatience, elle le soupçonnait d'entretenir simplement la conversation. Peut-être était-ce vrai, car il poursuivit :

— J'ai remarqué que votre amie n'avait qu'un radiateur à gaz dans sa chambre.

— Cette pièce-ci est la seule dans laquelle nous ayons un feu de charbon, les autres sont toutes chauffées au gaz.

— Et vous faites aussi votre cuisine au gaz ?

— Comme tout le monde aujourd'hui.

— C'est vrai. Cela épargne beaucoup de peine.

Ce petit échange de propos terminé, Jane Plenderleith tapa du pied avec nervosité avant de dire brusquement :

— Cet homme, l'inspecteur principal Japp... est-il considéré comme intelligent ?

— Il a un jugement très sain et il est fort estimé. Japp travaille avec zèle et ne craint pas ses peines, peu de choses lui échappent.

— Je me demande... murmura la jeune fille.

Poirot l'observait. Ses yeux paraissaient très verts à la lumière du feu.

— La mort de votre amie a été un grand choc pour vous, dit-il doucement.

— Un choc terrible.

Le ton brusque était manifestement sincère.

— Vous ne vous y attendiez pas ?

— Evidemment non.

— De sorte que cela vous a semblé tout d'abord impossible... Vous pensiez que cela ne pouvait pas être.

Son ton sympathique parut briser la résistance de Jane. Elle répondit vivement, d'un ton naturel, sans aucune dureté.

— C'est exactement cela. Même si Barbara s'est suicidée, je ne puis imaginer qu'elle se soit tuée de cette façon.

— Elle avait pourtant un revolver ?

Jane Plenderleith eut un geste d'impatience.

— Oui, mais cette arme était... Oh !... un souvenir ! Elle avait vécu dans des endroits isolés et le conservait par habitude... Sans autre idée, j'en suis absolument certaine.

— Ah ! Et pourquoi en êtes-vous si sûre ?

— Oh ! parce que, par exemple, nous parlions suicide un jour et elle m'a dit que la manière la plus facile pour disparaître serait d'ouvrir le robinet du gaz, de calfeutrer les issues et de se coucher tout simplement. Je lui avais objecté qu'il me serait impossible de rester couchée en attendant la mort et que je préférerais de beaucoup me tirer une balle dans la tête. Elle me répondit que jamais elle ne pourrait se suicider avec un revolver, car elle aurait trop peur de se rater et que la détonation la rendrait folle.

— Je comprends, dit Poirot. Comme vous le dites, c'est étrange... car *il y avait un radiateur à gaz dans sa chambre*.

— Oui, c'est vrai, et je ne puis comprendre pourquoi elle ne s'en est pas servi.

— Oui, cela semble bizarre, n'est-ce pas ?

— Mais rien ne semble naturel. Je ne puis pas encore admettre qu'elle se soit suicidée, et pourtant cela doit être vrai ?

— Il existe une autre possibilité.

— Que voulez-vous dire ?

Poirot la regarda en face.

— Cela pourrait être... un assassinat.

— Oh ! non ! (Jane Plendertleith recula d'horreur.) Non ! Quelle horrible supposition !

— Horrible peut-être, mais vous paraît-elle impossible ?

— Voyons, la porte était fermée de l'intérieur, la fenêtre aussi.

— La porte était fermée à clé, c'est vrai, mais rien ne prouve qu'elle l'ait été de l'intérieur, ou de l'extérieur... car la clé manquait.

— Mais alors... si la clé manque... c'est que la porte a été fermée de l'extérieur, sans quoi elle serait quelque part dans la chambre ?

— Il se peut qu'elle y soit. Rappelez-vous que la pièce n'a pas encore été complètement fouillée. La clé peut aussi avoir été jetée par la fenêtre et quelqu'un a pu la ramasser.

— Un assassinat ! dit Jane Plenderleith dont le visage intelligent révélait le cheminement de ses pensées. Je crois que vous avez raison.

— Mais s'il y a eu crime, il lui faut un mobile. En connaissez-vous un, mademoiselle ?

Elle secoua lentement la tête, mais, en dépit de la dénégation, Poirot eut de nouveau l'impression que Jane Plenderleith cachait volontairement quelque chose. La porte s'ouvrit et Japp entra.

Poirot le leva.

— J'ai suggéré à Miss Plenderleith l'idée que la mort de son amie n'était pas due à un suicide.

Japp parut démonté et lança un regard réprobateur à Poirot.

— Il est trop tôt pour avoir une opinion définitive, dit-il. Nous devons toujours envisager toutes les possibilités, nous ne faisons pas autre chose pour l'instant.

— Je comprends, répondit la jeune fille avec calme.

Japp s'approcha d'elle.

— Avez-vous déjà vu ceci ? demanda-t-il en tendant une main dans laquelle se trouvait un petit objet ovale en émail bleu.

Jane Plenderleith secoua la tête.

— Non, jamais.

— Ce n'est pas à vous, ni à Mrs Allen ?

— Non, ce n'est pas le genre d'objet que portent habituellement les femmes.

— Oh ! vous le reconnaissez donc ?

— C'est assez évident, me semble-t-il. Il s'agit de la moitié d'un bouton de manchettes d'homme, jumelé.


CHAPITRE IV


— Cette jeune fille est vraiment par trop suffisante, gémit Japp.

Les deux hommes se trouvaient à nouveau dans la chambre de Mrs Allen. Le corps avait été photographié et enlevé, et le spécialiste des empreintes ayant terminé son travail était parti.

— Il serait imprudent de la traiter comme une imbécile, dit Poirot. Elle ne l'est certainement pas ; en fait, c'est une jeune personne particulièrement intelligente.

— La croyez-vous coupable ? demanda Japp. Elle aurait pu faire le coup, vous savez. Il faudra vérifier son alibi. Elle a pu se disputer à propos du jeune homme... le parlementaire en herbe. Elle le juge d'une façon trop caustique à mon avis, cela semble louche. On dirait qu'elle a eu le béguin pour lui et qu'il n'en a pas voulu. C'est une jeune fille capable de supprimer n'importe qui si elle en avait envie, et de garder la tête froide en faisant le coup. Oui, il faudra vérifier son alibi, après tout, l'Essex n'est pas loin, les trains sont nombreux, et avec une voiture rapide... Il faut savoir si elle n'est pas par hasard montée se coucher de bonne heure en prétextant une migraine la nuit dernière.

— Vous avez raison, dit Poirot.

— En tout cas, dit Japp, elle ne nous a pas tout dit. Ne l'avez-vous pas senti ? Cette jeune fille sait quelque chose.

— Oui, dit Poirot, je m'en suis nettement rendu compte.

— C'est toujours la difficulté dans ce genre d'affaires, gémit Japp. Les gens se taisent souvent pour des motifs fort honorables.

— Et je ne puis les en blâmer, mon ami.

— Non, mais notre tâche en est d'autant plus ardue.

— Cela ne fait que mettre en lumière votre ingéniosité, déclara Poirot pour le consoler. A propos, qu'ont donné les empreintes ?

— Il s'agit bien d'un crime. Le revolver a été essuyé et placé dans sa main, et eût-elle même réussi à tourner le bras autour de sa tête, grâce à je ne sais quelle performance acrobatique, elle n'aurait pu tirer sans tenir le revolver et n'aurait pu l'essuyer après sa mort.

— Non, une intervention étrangère est certaine.

— Par ailleurs, les empreintes sont décevantes. Il n'y en a ni sur la poignée de la porte, ni sur la fenêtre, c'est suggestif, hein ? Par contre, il y en a partout de Mrs Allen.

— Jameson a-t-il obtenu quelque chose ?

— De la femme de ménage ? Non. C'est une bavarde qui ne sait pas grand-chose. Elle a confirmé le fait qu'Allen et Plenderleith étaient en excellents termes. J'ai envoyé Jameson enquêter dans le quartier. Nous interrogerons aussi Mr Laverton-West ; il faut savoir ce qu'il faisait cette nuit-là et nous allons examiner les papiers.

Il se mit à l'ouvrage sans plus tarder, la perquisition ne dura pas longtemps. Les papiers n'étaient pas nombreux et parfaitement en ordre. Il les passait au fur et à mesure à Poirot.

Finalement, Japp s'adossa à son fauteuil et poussa un soupir.

— Il n'y a pas grand-chose là-dedans, dit-il, des reçus, quelques factures non encore payées, rien de particulièrement intéressant. Des cartes d'invitations, quelques lettres d'amis ; celles-ci, dit-il en posant le main sur une pile de sept ou huit lettres, son carnet de chèques et son carnet de banque. Remarquez-vous quelque chose d'intéressant ?

— Oui, son compte est à découvert.

— Rien d'autre ?

Poirot sourit.

— C'est un examen que vous me faites passer ? Mais si, j'ai remarqué ce à quoi vous pensez : elle a tiré un chèque de deux cents livres à son nom il y a trois mois et un autre de deux cents livres également à son nom hier...

— Pas d'autres chèques à son nom, excepté pour de petites sommes... quinze livres au maximum. De plus, je vous le dis, ces deux cents livres ne sont pas dans la maison. Il y a quatre livres dix shillings dans un sac et quelque menue monnaie dans un autre. C'est clair, n'est-ce pas ?

— Vous voulez dire qu'elle a payé cette somme hier ?

— Oui. Mais à qui l'a-t-elle payée ?

La porte s'ouvrit et Jameson entra.

— Eh bien ! Avez-vous obtenu quelque renseignement ?

— Oui, monsieur, plusieurs. Tout d'abord personne n'a entendu le coup de feu. Deux ou trois femmes ont bien prétendu le contraire, mais c'est parce qu'elles se l'imaginaient. Avec tous ces pétards et ces feux d'artifice, il n'y avait pas la moindre chance.

— Bon, grommela Japp. Continuez.

— Mrs Allen est restée chez elle hier presque tout l'après-midi et la soirée. Elle est rentrée vers cinq heures et ressortie vers six heures, mais seulement pour aller jusqu'à la boîte aux lettres qui se trouve au bout des Mews. Vers neuf heures trente, une conduite intérieure Standard Swallow s'arrêta devant sa porte et un homme en sortit. Signalement : environ quarante-cinq ans, allure militaire, pardessus bleu foncé, chapeau melon, moustache en brosse. James Hogg, le chauffeur du numéro 18, prétend l'avoir déjà vu venir chez Mrs Allen.

— Quarante-cinq ans, dit Japp. Cela ne peut guère être Laverton-West.

— Cet homme, quel qu'il soit, est resté chez elle à peine une heure. Il est parti à dix heures vingt, et s'est arrêté sur le seuil pour parler à Mrs Allen. Un gamin, Frederick Hogg, qui rôdait par là, a entendu ce qu'il a dit.

— Et qu'a-t-il dit ?

— *Eh bien, réfléchissez, et avertissez-moi.* Elle a dit quelque chose et il a répondu : *All right, à bientôt.* Puis il est monté en voiture et a démarré.

— Il était dix heures vingt, dit Poirot.

Japp se frotta le nez.

— Donc, à dix heures vingt, Mrs Allen était encore en vie, dit-il. Quoi d'autre ?

— Pas grand-chose de plus, monsieur. Le chauffeur du 22 est rentré à dix heures et demie, ses gosses l'attendaient pour lancer des pétards avec d'autres gamins du quartier qui se sont tous groupés autour de lui. Après quoi, tous sont allés se coucher.

— Et on n'a vu personne d'autre entrer au numéro 14 ?

— Non, mais cela ne veut pas dire que personne n'y soit venu. Les gens occupés par les feux d'artifice ne l'auraient pas remarqué.

— Hum ! fit Japp. C'est vrai. Eh bien ! Il faut trouver l'homme à l'allure militaire avec une moustache en brosse. Il doit être le dernier à avoir vu Mrs Allen en vie. Je me demande qui il peut être ?

— Miss Plenderleith pourrait nous le dire ? suggéra Poirot.

— C'est possible, à condition qu'elle le veuille. Je ne doute pas qu'elle puisse nous renseigner utilement si cela lui convenait. Qu'en dites-vous, mon vieux Poirot ? Vous êtes resté seul avec elle un bon moment, ne vous êtes-vous pas servi de cette onction de père spirituel qui vous réussit bien pour confesser les gens ?

Poirot étendit les mains.

— Hélas ! Nous n'avons parlé que de radiateurs à gaz.

— De radiateurs à gaz ? fit Japp d'un ton dégoûté. Qu'est-ce qui vous prend, mon vieux ? Depuis que vous êtes ici, vous ne vous êtes intéressé qu'aux plumes d'oie et aux corbeilles à papiers. Eh oui ! Je vous ai vu fouiller subrepticement l'une d'elles au rez-de-chaussée, avez-vous trouvé quelque chose ?

Poirot soupira.

— Un catalogue et un vieux magazine.

— Quelle était votre idée de derrière la tête ? Si quelqu'un veut se défaire d'un document compromettant, il ne va pas le jeter dans une corbeille à papiers !

— C'est vrai, répondit doucement Poirot, on n'y jetterait que des choses sans importance.

Japp le considéra d'un air méfiant.

— Eh bien ! dit-il, je sais ce que je vais faire, et vous ?

— Moi, répondit Poirot, je vais continuer à chercher des choses sans importance. Il y a encore la poubelle.

Il quitta la pièce aussitôt, Japp le suivit des yeux d'un air dégoûté.

— Il est timbré ! fit-il. Complètement timbré !

L'inspecteur Jameson se confina dans un silence respectueux, mais il pensait avec une supériorité toute britannique : « Ces étrangers ! »

— Ainsi, dit-il à haute voix, c'est M. Hercule Poirot ? J'ai entendu parler de lui.

— C'est un de mes vieux amis, dit Japp, il est loin d'être aussi loufoque qu'il en a l'air, notez-le bien, mais tout de même, il prend de l'âge.

— Il devient un peu gaga, comme l'on dit, monsieur, dit Jameson. L'âge ne pardonne pas.

— Je voudrais tout de même bien savoir ce qu'il a en tête, dit Japp.

Il s'approcha du bureau et considéra avec inquiétude la plume d'oie vert émeraude.

CHAPITRE V

Japp engageait le conversation avec la femme du troisième chauffeur lorsque Poirot, marchant à pas de loup, s'approcha de lui.

— Ouf ! Vous m'avez fait sursauter, dit Japp. Avez-vous trouvé quelque chose ?

— Pas ce que je cherchais.

Japp se retourna vers Mrs James Hogg.

— Vous me dites avoir déjà vu ce gentleman ?

— Oh ! oui, monsieur. Mon mari aussi. Nous l'avons reconnu tout de suite.

— Ecoutez, Mrs Hogg, je vois que vous êtes une femme clairvoyante et je ne doute pas que vous connaissez tout ce qui concerne les habitants des Mews. Vous êtes pleine de bon sens et capable de juger les gens, j'ai vu cela tout de suite.

Japp répétait sans honte pour la troisième fois les mêmes compliments. Mrs Hogg se rengorgea et prit une expression supra-intelligente.

— Donnez-moi donc votre opinion sur ces deux jeunes femmes : Mrs Allen et miss Plenderleith. Quel genre de vie menaient-elles ? Joyeuse vie ? Avec des tas de parties de plaisir, de réunions mondaines ? Vous voyez ce que je veux dire ?

— Oh ! non, monsieur, rien de la sorte. Elles sortaient souvent — surtout Mrs Allen — mais ce sont des personnes comme il faut, si vous comprenez ce que je veux dire. Pas comme d'autres que je pourrais vous nommer à l'autre bout des Mews. Je suis sûre què la façon dont Mrs Stevens se conduit — si elle est une dame, ce dont je doute — ... je n'oserais pas vous dire ce qui se passe là-bas...

— En effet, dit Japp coupant habilement le flot de paroles. Mais ce que vous m'avez dit est très important. En somme, Mrs Allen et miss Plenderleith sont très aimées ?

— Oh ! oui, monsieur, ce sont toutes deux des femmes charmantes, surtout Mrs Allen. Elle a toujours un mot gentil pour les enfants, elle a perdu une petite fille, je crois, la pauvre. Et moi j'en ai enterré trois, et ce que...

— Oui, c'est très triste. Et miss Plenderleith ?

— C'est aussi une personne très bien, mais beaucoup plus brusque, si vous comprenez ce que je veux dire. Elle fait un petit salut en passant et ne voudrait pas perdre son temps en paroles. Mais je n'ai rien contre elle, rien du tout

— Ces dames s'entendaient bien entre elles ?

— Oh ! oui, monsieur. Jamais une dispute, elles étaient très heureuses ensemble et je suis sûre que Mrs Pierce vous en dirait autant.

— Oui, nous lui avons parlé. Connaissez-vous de vue le fiancé de Mrs Allen ?

— Le gentleman qu'elle devait épouser ? Oh ! oui. Il est venu souvent par ici. C'est un membre du Parlement à ce qu'on dit ?

— Ce n'est pas lui qui est venu hier soir ?

— Non, monsieur.

Mrs Hogg se redressa et avec une émotion masquée sous un aspect très collet monté, elle ajouta :

— Si vous voulez mon avis, monsieur, les suppositions que vous faites sont dénuées de tout fondement. Mrs Allen n'était pas une femme de cette sorte, j'en suis certaine. Il est vrai qu'elle était seule dans la maison, mais je ne crois pas qu'elle se soit mal conduite. Je l'ai dit à Hogg pas plus tard que ce matin. « Non, lui ai-je dit, Mrs Allen était une dame... Une vraie dame... Aussi ne va pas insinuer des choses... Je connais trop la mentalité des hommes... » Excusez-moi de le dire, mais ils ont toujours des idées canailles.

Ignorant l'insulte, Japp demanda :

— Vous l'avez vu arriver et aussi repartir, c'est bien cela ?

— Oui, monsieur.

— Et vous n'avez rien entendu d'autre ? Aucun bruit de querelle ?

— Non, monsieur, et je n'avais guère de chances d'en entendre. Ce qui ne veut pas dire que cela n'arrive pas, on sait bien qu'à l'autre bout des Mews, Mrs Ste-

vens crie après sa pauvre domestique, que c'en est une
honte et...

— Mais vous n'avez rien entendu de semblable au
numéro 14 ? se hâta de dire Japp.

— Non, monsieur. D'ailleurs, c'est impossible avec
tous ces pétards et ces feux d'artifice que mon pauvre
Eddie en a eu les cils brûlés.

— Cet homme est parti à dix heures vingt, n'est-ce
pas ?

— C'est possible, monsieur, je n'en sais rien moi-
même, mais Hogg le dit et c'est un garçon sûr.

— Vous l'avez vu sortir. Avez-vous entendu ce qu'il
a dit ?

— Non, monsieur, je n'étais pas assez près pour cela.
Je n'ai fait que l'apercevoir de ma fenêtre, debout sur le
seuil, en train de parler à Mrs Allen.

— Avez-vous vu aussi Mrs Allen ?

— Oui, monsieur, elle était un peu en retrait de la
porte.

— Avez-vous remarqué quel genre de toilette elle
portait ?

— Non, monsieur.

— Vous n'avez même pas vu si elle portait une robe
d'après-midi ou une robe du soir ? demanda Poirot.

— Non, monsieur, je ne pourrais le dire.

Poirot se leva les yeux vers la fenêtre, puis les reporta
en face sur le numéro 14. Il sourit et son regard croisa
celui de Japp.

— Et le gentleman ?

— Il portait un pardessus bleu marine et un chapeau
melon. Le tout très élégant.

Après avoir posé quelques questions supplémentaires,
Japp procéda à un autre interrogatoire celui du jeune

Frederick Hogg un gamin au visage espiègle tout gonflé de sa nouvelle importance.

— Oui, monsieur, je les ai entendu parler. « Eh bien ! Réfléchissez et avertissez-moi », a dit le type, gentiment, vous savez. Ensuite, elle a dit quelque chose et il a répondu : « *All right !* A bientôt ! » Puis il est monté dans sa voiture, j'avais ouvert sa portière, mais il ne m'a rien donné, ajouta master Hogg d'un air désappointé, et il est parti.

— Tu n'as pas entendu ce que Mrs Allen a dit ?

— Non, m'sieur.

— Sais-tu quelle robe elle portait ? De quelle couleur, par exemple.

— J'sais pas, m'sieur. J'l'ai pas vraiment vue, elle devait être derrière la porte.

— Ah ! oui, fit Japp. Maintenant, écoute-moi bien, petit, tu vas réfléchir avant de répondre à la question que je vais te poser. Si tu ne sais pas, ou si tu ne te rappelle pas, dis-le. Est-ce clair ?

— Oui, m'sieur.

Le jeune Hogg le regardait avidement.

— Lequel des deux a fermé la porte : Mrs Allen ou le gentleman ?

— La porte d'entrée ?

— La porte d'entrée, naturellement.

Le gamin réfléchit.

— C'est la dame, probablement... Non, ce n'est pas elle, c'est lui. Il l'a même tapée un bon coup et a sauté dans sa voiture. On aurait dit qu'il avait rendez-vous quelque part.

— Très bien, jeune homme, tu es un gosse intelligent. Voilà six pence pour toi.

Après avoir congédié le gamin, Japp se tourna vers

son ami, et les deux hommes eurent le même hochement de tête.

— Ce pourrait être ça ! dit Japp.

— Cela entre dans les possibilités, répondit Poirot
dont les yeux brillaient comme ceux d'un chat.

CHAPITRE VI

En rentrant au living-room du numéro 14, Japp alla
droit au but.

— Ecoutez-moi bien, miss Plenderleith : ne croyez-
vous pas préférable de nous dire maintenant tout ce que
vous savez, puisqu'il faudra toujours en arriver là ?

Jane Plenderleith haussa les sourcils. Elle était debout
près de la cheminée, tendant un pied à la chaleur du
foyer.

— Je ne sais ce que vous voulez dire.

— Est-ce bien vrai, miss Plenderleith ?

Elle haussa les épaules.

— J'ai répondu à toutes vos questions, je ne vois pas
ce que je puis faire de plus.

— A mon avis vous pourriez beaucoup, si vous le
vouliez.

— Mais ce n'est qu'une opinion, n'est-il pas vrai,
inspecteur ?

Japp rougit.

— Je crois, dit Poirot, que mademoiselle apprécierait
davantage les raisons de votre demande si vous lui
disiez exactement comment l'affaire se présente.

— C'est très simple. Les faits sont les suivants, miss Plenderleith ! On a trouvé votre amie tuée d'une balle dans la tête avec un revolver à la main, porte et fenêtres étant verrouillées. Le suicide semblait évident, mais ce n'était pas un suicide. L'examen médical le prouve.

— Comment cela ?

Toute sa froideur ironique avait disparu, elle se penchait avidement guettant le visage de Japp.

— Le revolver était dans sa main, mais ses doigts ne le serraient pas. De plus, il n'y avait aucune empreinte sur l'arme et la position de la blessure est telle qu'elle ne peut absolument pas avoir été faite par elle. De plus, elle n'a pas laissé de lettre, ce qui est inhabituel en cas de suicide, et, bien que la porte ait été fermée, la clé n'a pas été retrouvée.

Jane Plenderleith se retourna lentement et s'assit en face d'eux.

— Ainsi, c'est cela ! dit-elle. Dès le début, j'ai eu l'impression que ce suicide était impossible, j'avais raison. Elle ne s'est pas tuée ! Quelqu'un d'autre l'a assassinée !

Elle resta un instant perdue dans ses pensées avant de relever brusquement la tête.

— Posez-moi toutes les questions que vous voudrez, dit-elle, j'y répondrai de mon mieux.

Japp se pencha vers elle.

— Hier soir, Mrs Allen a reçu la visite d'un homme d'environ quarante-cinq ans, à l'allure militaire, portant une moustache en brosse, fort élégamment vêtu, qui conduisait une conduite intérieure Standard Swallow. Savez-vous qui il est ?

— Je n'en suis pas certaine, mais votre description correspond au major Eustace.

— Qui est le major Eustace ? Dites-moi tout ce que vous savez sur lui.

— C'est un homme que Barbara avait connu à l'étranger. Il est arrivé il y a environ un an et nous l'avons vu de temps à autre.

— C'était un ami de Mrs Allen ?

— Il se conduisait comme tel, répondit sèchement Jane.

— Quelle était l'attitude de votre amie envers lui ?

— Je ne crois pas qu'il lui plaisait vraiment ; en fait, je suis sûre du contraire.

— Mais elle le traitait avec une apparente bienveillance ?

— Oui.

— Paraissait-elle parfois — réfléchissez bien, miss Plenderleith — avoir peur de lui ?

Jane Plenderleith prit un temps avant de répondre :

— Oui, je crois qu'elle avait peur de lui. Elle était toujours nerveuse lorsqu'il était dans les parages.

— Mr Laverton-West et lui se sont-ils jamais rencontrés ?

— Une seule fois, je crois, et ils n'ont guère sympathisé, c'est-à-dire que le major Eustace a fait tout son possible pour se rendre agréable à Charles, mais celui-ci ne s'y est pas laissé prendre. Charles a un flair remarquable pour déceler quelqu'un qui n'est pas... tout à fait... tout à fait bien.

— Et le major Eustace ne l'était pas ? demanda Poirot.

— Non, répliqua sèchement la jeune fille. Il ne sort certainement pas de la cuisse de Jupiter.

— Vous voulez dire qu'il n'était pas le *Pukka sahib* ?
dit Poirot.

Un léger sourire erra sur les lèvres de Jane, mais elle
répondit très sérieusement.

— Oui.

— Seriez-vous extrêmement surprise, miss Plenderleith, si je suggérais que cet homme exerçait un chantage sur Mrs Allen ?

Japp s'était penché en avant pour observer le résultat
de son hypothèse, il fut satisfait. La jeune fille tressaillit, ses joues se colorèrent et elle crispa la main sur le
bras de son fauteuil.

— Ainsi, c'était cela ! Quelle idiote j'étais de ne pas
avoir deviné ! Evidemment !

— Vous croyez donc la suggestion possible, mademoiselle ? demanda Poirot.

— J'ai été stupide de ne pas y penser, Barbara m'a
emprunté de petites sommes à plusieurs reprises durant
ces derniers six mois. Je l'ai vue examiner son carnet de
banque ; sachant qu'elle ne dépensait pas tous ses revenus, cela ne m'a pas inquiétée ; mais, évidemment, si
elle devait verser de grosses sommes...

— Et cela s'accorderait avec son comportement de
ces derniers temps, n'est-ce pas ? dit Poirot.

— Absolument. Elle était nerveuse, instable, tout à
fait différente de ce qu'elle avait été.

Poirot la reprit doucement.

— Excusez-moi, mais ce n'est pas exactement ce que
vous nous aviez dit.

— C'était différent, fit Jane avec un geste d'impatience, elle n'était pas déprimée, je veux dire qu'elle ne
se sentait pas lasse de la vie au point d'en finir, mais le

chantage... c'est autre chose. Si, au moins, elle me
l'avait dit ! Je l'aurais envoyé au diable !

— Mais il aurait pu aller — non au diable — mais
trouver Mr Laverton-West ? observa Poirot.

— Oui, c'est vrai, dit lentement Jane.

— Savez-vous pourquoi cet homme avait barre sur
votre amie ? demanda Japp.

La jeune fille leva les mains.

— Je n'en ai pas la moindre idée. Je ne puis croire,
connaissant Barbara, qu'il puisse s'agir de quelque
chose de grave. D'un autre côté (elle hésita)... je veux
dire que Barbara était un peu niaise à certains points de
vue. Elle s'effrayait facilement. En fait, c'était la proie
rêvée pour un maître chanteur ! La sale brute !

Elle lança les derniers mots d'un ton venimeux.

— Malheureusement, dit Poirot, le crime semble
s'être produit du mauvais côté. C'est la victime qui
devait tuer le maître chanteur et non le maître chanteur
sa proie.

Jane Plenderleith fronça les sourcils.

— Non... c'est vrai... Mais je puis imaginer des circonstances...

— Lesquelles ?

— Supposons que Barbara désespérée l'ait menacé
avec son absurde petit revolver et qu'en essayant de le
lui arracher, il ait pressé la détente et l'ait tuée. Alors,
horrifié par ce qu'il a fait, il essaye de maquiller l'accident en suicide.

— C'est possible, dit Japp, mais il y a une difficulté.

Elle le regarda d'un air interrogateur.

— Le major Eustace (si c'est bien lui) est parti d'ici

hier soir à dix heures vingt et a dit adieu à Mrs Allen
sur le seuil de la porte.

— Ah ? fit la jeune fille déçue. Mais il a pu revenir
plus tard.

— C'est possible, dit Poirot.

Japp poursuivit :

— Mrs Allen avait-elle l'habitude de recevoir ses
invités ici ou dans sa chambre ?

— Aux deux endroits. Mais cette pièce était, en
principe, réservée à des réunions communes ou à mes
amis personnels. Nous nous étions arrangées ainsi : Barbara avait la grande chambre et s'en servait également
comme salon, j'avais, moi, la petite chambre à coucher
et l'usage de cette pièce.

— Si le major Eustace avait pris rendez-vous hier
soir, dans quelle pièce Mrs Allen l'aurait-elle reçu, à
votre avis ?

— Je crois qu'elle l'aurait probablement fait entrer
ici, fit la jeune fille d'un air peu assuré, car c'est moins
intime. Mais, d'autre part, si elle désirait écrire un
chèque, elle l'aurait probablement emmené en haut ; il
n'y a pas de quoi écrire ici.

Japp hocha la tête.

— Il n'était pas question d'un chèque, Mrs Allen
avait retiré deux cents livres à la banque hier et
jusqu'ici nous n'en avons pas trouvé trace dans la maison.

— Et elle les a données à cette brute ! Oh ! pauvre
Barbara !

Poirot toussa.

— A moins que, comme vous l'avez suggéré, il se
soit agi plus ou moins d'un accident, il n'en demeure

pas moins remarquable qu'il ait tué une source de revenus réguliers.

— Un accident ? Ce n'est pas un accident. Il s'est
mis en colère, a vu rouge et l'a tuée.

— Vous croyez que cela s'est passé ainsi ?

— Oui. C'est un crime... Un crime ! s'écria-t-elle
avec véhémence.

— Je ne dirai pas que vous vous trompez, mademoiselle, dit Poirot avec gravité.

Japp reprit l'offensive.

— Quelles cigarettes fumait Mrs Allen ?

— Des gaspers. Il y en a dans cette boîte.

— Et vous, mademoiselle ? demanda Poirot.

— Les mêmes.

— Jamais de cigarettes turques ?

— Jamais.

— Mrs Allen non plus ?

— Non. Elle ne les aimait pas.

— Et Mr Laverton-West ? demanda Poirot. Que
fume-t-il ?

Elle le scruta du regard.

— Charles ? Qu'importe ce qu'il fume ? Vous n'allez
pas prétendre qu'il l'a tuée ?

Poirot haussa les épaules.

— On a déjà vu des hommes tuer la femme qu'ils
aiment, mademoiselle.

Jane eut un geste d'impatience.

— Charles ne tuerait jamais personne, il est bien
trop prudent.

— Ce sont les hommes prudents qui commettent les
crimes les plus habiles, mademoiselle.

Elle le regarda en face.

— Mais pas pour le motif que vous venez d'avancer, monsieur Poirot.

Il inclina la tête.

— Non. C'est vrai.

Japp se leva.

— Eh bien ! Il n'y a plus grand-chose à faire ici ; je voudrais visiter encore une fois les lieux.

— Au cas où l'argent serait caché quelque part ? Certainement. Cherchez partout où vous en aurez envie, même dans ma chambre, bien qu'il soit peu probable que Barbara l'ait déposé là.

Japp fit une perquisition rapide mais efficace. Le living-room lui ayant livré tous ses secrets en quelques minutes, il monta au premier étage. Jane Plenderleith, assise sur le bras d'un fauteuil, fumait une cigarette et regardait le feu en fronçant les sourcils. Poirot l'observait ; au bout de quelques minutes, il lui dit doucement :

— Savez-vous si Mr Laverton-West est à Londres en ce moment ?

— Je n'en sais absolument rien. J'imaginerais plutôt qu'il est dans sa famille, en Hampshire. J'aurais sans doute dû lui téléphoner. C'est affreux. J'ai oublié.

— Il n'est pas facile de tout se rappeler, mademoiselle, lorsqu'une catastrophe se produit, et après tout, les mauvaises nouvelles peuvent attendre. On ne les reçoit que trop tôt.

— C'est bien vrai, répondit la jeune fille d'un air absent.

On entendait Japp descendre l'escalier, elle se leva pour aller à sa rencontre.

— Eh bien ? dit-elle.

— Rien d'intéressant, je le crains, miss Plenderleith.

J'ai visité la maison. Ah ! pourtant, je voudrais jeter un coup d'œil dans ce placard, sous l'escalier.

Il saisit la poignée et tira.

— Il est fermé à clé, dit Jane Plenderleith d'un ton si bizarre que les deux hommes la regardèrent attentivement.

— Je le vois bien, dit Japp. Peut-être auriez-vous l'amabilité d'aller chercher la clé ?

La jeune fille paraissait changée en statue de pierre.

— Je... Je ne sais pas où elle est.

Japp lui lança un regard aigu, mais son ton resta volontairement détaché lorsqu'il poursuivit :

— Quel dommage !... Je ne voudrais pas briser la porte en l'ouvrant de force. Je vais envoyer Jameson chercher un trousseau de clés.

Elle s'avança d'un pas raide.

— Oh ! dit-elle, un instant, elle pourrait être...

Elle rentra au living-room et revint un instant plus tard en apportant une grosse clé.

— Nous le fermons toujours à clé, dit-elle, car les cannes et les parapluies ont une fâcheuse tendance à disparaître.

— C'est une sage précaution, dit gaiement Japp en s'emparant de la clé.

Il ouvrit la porte, l'intérieur du placard était obscur, il alluma sa torche électrique.

Poirot sentit la jeune fille se raidir à ses côtés, et son souffle s'arrêter une brève seconde. Il suivait du regard la projection de la torche.

Il n'y avait pas grand-chose dans le placard : trois parapluies, dont l'un était cassé, quatre cannes, un assortiment de clubs de golf, deux raquettes de tennis, une couverture soigneusement pliée et plusieurs coussins plus ou moins détériorés. En haut de la pile se trouvait une élégante petite mallette.

Japp étendit la main pour s'en emparer.

— C'est à moi, dit vivement Jane, je l'ai rapportée ce matin, aussi ne peut-elle rien contenir d'intéressant.

— Autant vaut s'en assurer, dit Japp d'un ton de plus en plus amical.

La mallette, qui n'était pas fermée à clé, contenait un élégant assortiment de brosses et de flacons de toilette, deux magazines, mais rien d'autre.

Japp examina méticuleusement chaque objet, lorsqu'il referma enfin le couvercle et se mit à examiner les coussins, la jeune fille poussa un soupir de soulagement très perceptible.

Son examen terminé, Japp referma le placard et tendit la clé à la jeune fille.

— Eh bien ! dit-il, j'en ai terminé. Pouvez-vous me donner l'adresse de Mr Laverton-West ?

— Farlescomte Hall, Little Ledbury, Hampshire.

— Merci, miss Plenderleith, ce sera tout pour l'instant, je reviendrai peut-être plus tard. A propos, motus, laissez croire au suicide jusqu'à plus ample informé.

— Certainement, je le comprends fort bien.

Elle leur serra la main à tous deux.

En traversant les Mews, Japp laissa éclater son mécontentement.

— Que diable y avait-il dans ce placard ? Car il y avait quelque chose.

— Oui, il y avait quelque chose.

— Et je parierais à dix contre un que cela avait trait à la mallette ! Mais comme le fieffé imbécile que je dois être, je n'ai pas pu le découvrir. J'ai examiné tous les flacons, tâté la doublure... Que diable cela peut-il être ?

Poirot hocha pensivement la tête.

— Cette fille est dans le coup, poursuivit Japp. Elle a soi-disant apporté cette mallette ce matin ? C'est un mensonge. Vous avez remarqué les deux magazines ?

— Oui.

— Eh bien ! l'un d'eux datait de juillet dernier !


CHAPITRE VII


Le lendemain, en arrivant chez Poirot, Japp lança son chapeau sur la table d'un air dégoûté et se laissa tomber dans un fauteuil.

— Eh bien, grommela-t-il. Elle est hors de cause !

— Qui est hors de cause ?

— Plenderleith. Elle a joué au bridge jusqu'à minuit. Hôte, hôtesse, un invité capitaine de frégate et deux domestiques l'affirment sous la foi du serment. Je voudrais tout de même bien savoir pourquoi elle a eu l'air de se faire tant de mauvais sang à propos de cette mallette sous l'escalier. Voilà une chose qui rentre dans vos attributions, Poirot, qui aimez résoudre les petits problèmes qui ne mènent nulle part. Le « Mystère de la mallette », voilà un titre prometteur !

— Je vous en suggère un autre : « Le mystère de l'odeur de la fumée de cigarettes. »

— C'est un peu lourd pour un titre. L'odeur ? Est-ce donc pour cette raison que je vous ai entendu renifler quand nous examinions le cadavre pour la première fois ? Je vous ai entendu, vous n'en finissiez pas de renifler, j'ai pensé que vous aviez un rhume...

— Ce en quoi vous vous trompiez.

Japp soupira.

— J'ai toujours pensé que vous utilisiez les petites cellules grises de votre cerveau. Ne me dites pas que celles de votre nez sont également supérieures à celles des autres.

— Non, non ; calmez-vous !

— Je n'ai senti aucune odeur de fumée de cigarettes.

— Moi non plus, mon ami.

Japp le regarda d'un air méfiant et tira une cigarette de sa poche.

— Voilà celles que fumait Mrs Allen, du tabac de Virginie. Six des mégots étaient les siens, les trois autres provenaient de cigarettes turques.

— Exactement.

— Votre flair merveilleux le savait déjà sans les avoir vues, je suppose ?

— Je vous assure que mon nez n'a rien à voir dans la question, car il n'a rien senti.

— Alors ce sont les petites cellules grises du cerveau qui ont fonctionné ?

— Il y avait certains indices... ne le croyez-vous pas ?

Japp le regarda de travers.

— Par exemple ?

— Eh bien ! quelque chose manquait sûrement dans la chambre, et je crois que quelque chose y avait été ajouté... Puis, sur le bureau...

— Je sais ! Nous en arrivons à cette maudite plume d'oie !

— *Du tout* (1) ! La plume d'oie ne joue qu'un rôle négatif.

Japp se retira sur un terrain plus sûr.

— J'ai convoqué Charles Laverton-West à Scotland Yard dans une demi-heure. J'ai pensé que vous seriez content d'être là.

— Je serai très content.

— Et vous serez également heureux d'apprendre que nous avons dépisté le major Eustace. Il habite un appartement avec service compris dans Cromwell Road.

— Bravo !

— Et nous avons aussi quelques renseignements intéressants sur lui. Le major Eustace n'est pas un personnage recommandable. Après avoir interrogé Laverton-West, nous irons le voir. Cela vous va ?

— A la perfection.

— Alors, filons.

. . . . . . . . . . . . . . . . . . . . . . . . . . . . . . . . . . . . .

A onze heures et demie, Charles Laverton-West était introduit dans le bureau de l'inspecteur principal. Japp se leva et ils se serrèrent la main.

Le député était un homme de taille moyenne possédant une forte personnalité. Glabre, il avait la bouche mobile d'un acteur et les yeux légèrement proéminents que possèdent si souvent les orateurs-nés. Il avait un physique agréable, et une réelle distinction.

(1) En français dans le texte.

Bien que fort pâle et visiblement peiné, il était parfaitement maître de lui.

Il s'assit, posa ses gants et son chapeau sur la table et regarda Japp.

— Je dois vous dire tout d'abord, Mr Laverton-West, que je me rends parfaitement compte de ce que cette visite peut avoir de pénible pour vous.

Laverton-West écarta d'un geste la suggestion.

— Laissons de côté mes sentiments, mais dites-moi, inspecteur, avez-vous idée de ce qui a pu inciter ma... Mrs Allen à se suicider ?

— Vous ne pouvez pas vous-même nous aider à le découvrir ?

— Certainement pas.

— Il n'y a eu aucune querelle ? Pas la moindre brouille entre vous ?

— Rien de la sorte. Cela a été un choc épouvantable pour moi.

— Peut-être comprendrez-vous mieux, monsieur, si je vous dis qu'il ne s'agit pas d'un suicide... mais d'un crime !

— Un crime ?

Les yeux de Charles Laverton-West parurent sur le point de sortir de sa tête.

— Vous avez dit un crime ?

— Exactement. Et maintenant, Mr Laverton-West, avez-vous idée de qui a pu supprimer Mrs Allen ?

Le député faillit s'étrangler en s'écriant :

— Non, non ! Absolument pas ! La seule idée est... est inimaginable !

— Elle n'a jamais parlé d'aucun ennemi ? De quelqu'un ayant un grief contre elle ?

— Jamais.

— Saviez-vous qu'elle possédait un revolver ?

— Je l'ignorais.

Il paraissait un peu alarmé.

— Miss Plenderleith nous a dit que Mrs Allen avait rapporté cette arme de l'étranger il y a plusieurs années.

— Vraiment ?

— Evidemment, nous ne tenons ce renseignement que de miss Plenderleith. Il est fort possible que Mrs Allen se sentant en danger ait gardé ce revolver à portée de la main pour des raisons connues d'elle seule.

Charles Laverton-West secoua la tête d'un air de doute. Il paraissait complètement désorienté et comme hébété.

— Quelle opinion avez-vous de miss Plenderleith, Mr Laverton-West ? La prenez-vous pour une personne sérieuse et digne de confiance ?

L'autre réfléchit avant de répondre :

— Je le crois, oui, c'est mon opinion.

— Mais vous ne l'aimez pas, dit Japp qui l'avait observé attentivement.

— Je ne dirai pas cela. Elle n'est pas le type de femme que j'admire. Ce genre ironique, indépendant, ne m'attire pas, mais je la crois tout à fait digne de confiance.

— Hum ! fit Japp. Connaissez-vous le major Eustace ?

— Eustace ? Eustace ? Ah ! oui, je me souviens du nom. Je l'ai rencontré une fois chez Barbara... Mrs Allen. C'est un personnage assez louche, à mon avis, je l'ai dit à ma... à Mrs Allen. Ce n'est pas le genre d'homme que j'eusse encouragé à fréquenter la maison après notre mariage.

— Et qu'a répondu Mrs Allen ?

— Oh ! elle en convint volontiers. Elle se fiait implicitement à mon jugement. Un homme est mieux à même de juger un de ses pareils qu'une femme. Elle m'expliqua qu'elle ne pouvait être impolie avec un homme qu'elle n'avait pas vu depuis longtemps... Je crois qu'elle avait surtout horreur de paraître snob ! Naturellement, une fois mariée, elle aurait trouvé un assez grand nombre de ses anciens camarades... plutôt mal assortis, dirons-nous.

— Ce qui veut dire qu'en vous épousant, elle aurait amélioré sa position sociale ? demanda carrément Japp.

Laverton-West leva une main soigneusement manucurée.

— Non, non, ce n'est pas tout à fait cela. En fait, la mère de Mrs Allen était une parente éloignée de ma famille. Elle était donc absolument de mon monde, mais, évidemment, je suis obligé, dans ma situation, de choisir mes amis avec un soin tout particulier et il en est de même pour ma femme. Car on est dans une certaine mesure toujours en vedette.

— C'est vrai, dit sèchement Japp. Ainsi vous ne pouvez nous aider d'aucune façon ?

— Non, et je suis complètement désorienté. Barbara ! Assassinée ! Cela semble incroyable !

— Et maintenant, Mr Laverton-West, pouvez-vous me dire ce que vous avez fait pendant la nuit du 5 novembre ?

— Ce que j'ai fait ? Ce que j'ai fait ?

La voix de Laverton-West se haussait en véhémente protestation.

— Simple question de routine, expliqua Japp, nous sommes obligés d'interroger tout le monde.

Charles Laverton-West se drapa dans sa dignité.

— Je croyais qu'un homme dans ma situation pouvait en être exempté.

Japp se contenta d'attendre.

— Voyons... que je réfléchisse... Ah ! oui, je suis resté au Parlement jusqu'à dix heures et demie et suis allé me promener sur l'Embankment pour voir les feux d'artifice.

— Il est agréable de penser qu'il n'existe plus de complots de ce genre aujourd'hui, observa gaiement Japp.

Laverton-West le regarda de travers.

— Puis, je suis rentré à pied chez moi.

— Vous habitez Onslaw Square, je crois ? A quelle heure êtes-vous arrivé chez vous ?

— Je ne le sais pas exactement.

— Onze heures ? Dix heures et demie ?

— A peu près à cette heure-là.

— Qui vous a ouvert ?

— Personne. J'ai ma clé.

— Avez-vous rencontré quelqu'un en vous promenant ?

— Non... Ecoutez, inspecteur, ces questions me vexent beaucoup.

— Je vous assure qu'il s'agit d'une simple question de routine, Mr Laverton-West. Elles n'ont rien de personnel.

La réponse parut calmer le député courroucé.

— Si vous n'avez pas autre chose...

— Non, c'est tout pour l'instant, Mr Laverton-West.

— Vous me tiendrez au courant ?

— Naturellement. A propos, permettez-moi de vous présenter M. Hercule Poirot, vous avez peut-être entendu parler de lui ?

Mr Laverton-West considéra le petit Belge avec un intérêt manifeste.

— Oui... j'ai entendu le nom.

— Monsieur, dit Poirot, en affectant plus que jamais les manières d'un étranger, croyez que mon cœur saigne pour vous. Une perte pareille ! Quelle agonie vous devez endurer ! Mais je n'en dirai pas plus. Les Anglais dissimulent magnifiquement leurs émotions. (Il tira son porte-cigarettes.) Permettez-moi... Ah ! il est vide ! Japp ?

Japp tâta sa poche et hocha la tête. Laverton-West sortit alors son propre porte-cigarettes en murmurant :

— Prenez une des miennes, monsieur Poirot.

— Merci, merci ! dit le petit homme en se servant.

— Comme vous le dites, monsieur Poirot, fit le député, nous autres Anglais évitons de laisser percer nos émotions. Rester impassible, voilà notre devise.

Il salua les deux hommes et sortit.

— Quelle outre gonflée, quel empaillé ! s'écria Japp d'un ton dégoûté. La jeune Plenderleith avait raison. Et pourtant il est assez beau garçon pour plaire à une femme qui n'a aucun sens de l'humour. Que vous révèle la cigarette ?

Poirot la lui tendit en secouant la tête.

— C'est une égyptienne de luxe.

— Qui ne nous sert à rien. Dommage, car je n'ai jamais entendu alibi moins solide. En fait, ce n'est même pas un alibi... Ecoutez, Poirot, c'est dommage

que les rôles n'aient pas été renversés, si *elle* l'avait fait
chanter... Il est la proie idéale pour un chantage... et
payerait sans dire ouf !

— C'est très joli, mon ami, de reconnaître l'affaire
comme vous voudriez qu'elle fût, mais cela ne nous
avance à rien.

— Non, c'est Eustace qui est notre homme. J'ai
quelques détails sur lui. C'est un sale type dans toute
l'acceptation du mot.

— A propos, avez-vous fait ce que je vous ai suggéré
pour miss Plenderleith ?

— Oui. Une seconde, je vais téléphoner pour avoir
les derniers détails.

Il prit le téléphone, et après un bref échange de
paroles, il raccrocha et regarda Poirot.

— C'est une fille sans cœur. Imaginez-vous qu'elle
est allée jouer au golf. Jolie occupation quand votre
amie intime a été assassinée la veille !

Poirot poussa une exclamation.

— Qu'est-ce qu'il y a maintenant ? demanda Japp.

Mais Poirot murmurait pour lui seul :

— Bien sûr... Bien sûr... C'est évident ! Quel imbécile j'ai été... quand cela sautait aux yeux !

Japp intervint brusquement.

— Cessez de baragouiner en aparté, allons plutôt
nous attaquer à Eustace.

Il fut stupéfait de voir le radieux sourire qui illumina
le visage de Poirot.

— Mais oui... Certainement, allons l'entreprendre,
car maintenant je sais tout... Absolument tout.

## CHAPITRE VIII

Le major Eustace reçut les deux hommes avec l'aisance d'un homme du monde.

Son appartement était petit. « Un simple pied-à-terre », expliqua-t-il. Il offrit à boire aux deux visiteurs qui refusèrent et leur tendit son étui à cigarettes.

Les deux hommes se servirent et échangèrent un coup d'œil rapide.

— Vous fumez du tabac turc à ce que je vois, dit Japp en roulant sa cigarette entre ses doigts.

— Oui. Excusez-moi, peut-être préférez-vous le tabac de Virginie ? Je dois en avoir par là.

— Non, non. Celui-ci me convient très bien.

Il se pencha en avant, et changeant de ton :

— Vous devinez sans doute ce qui nous amène ici, major Eustace ?

L'autre secoua la tête d'un air nonchalant.

Le major Eustace était grand et beau garçon, mais d'une façon un peu vulgaire. Au milieu d'une certaine bouffissure perçaient de petits yeux sournois qui ne s'accordaient guère avec la jovialité apparente de ses manières.

— Non, dit-il, je ne vois pas ce qui peut amener chez moi un personnage aussi important qu'un inspecteur principal. Cela concernerait-il ma voiture ?

— Non, il ne s'agit pas de votre voiture. Vous connaissez, je crois, Mrs Allen, major Eustace ?

Le major se renversa en arrière, exhala une bouffée de fumée et s'écria :

— Oh ! c'est cela ? J'aurais pu le deviner. Quelle triste affaire !

— Vous êtes au courant ?

— Je l'ai apprise par le journal hier soir. C'est bien malheureux.

— Vous avez connu Mrs Allen aux Indes, je crois ?

— Oui, il y a des années.

— Avez-vous aussi connu son mari ?

Il y eut un silence, pendant une fraction de seconde les petits yeux rusés parcoururent d'un regard rapide les visages des deux hommes avant de répondre :

— Non, en fait, je n'ai jamais rencontré Allen.

— Mais vous aviez des renseignements sur lui ?

— J'avais entendu dire qu'il était en voie de devenir une vraie fripouille, mais, évidemment, ce n'était qu'un bruit.

— Mrs Allen ne vous en a rien dit ?

— Elle ne parlait jamais de lui.

— Vous étiez pourtant intimes ?

Le major Eustace haussa les épaules.

— Nous étions de vieux amis, mais nous ne nous voyions pas très souvent.

— Mais vous l'aviez vue ce dernier soir ? Le soir du 5 novembre ?

— Oui.

— Vous êtes allé chez elle, je crois ?

Le major Eustace inclina la tête et dit d'une voix très douce, pleine de regrets :

— Oui, elle me demanda conseil pour des placements. Bien entendu, je sais où vous voulez en venir... En quel état d'esprit je l'ai trouvée, eh bien ! c'est difficile à dire. Elle m'a paru assez normale, et pourtant, en y réfléchissant, elle était un peu nerveuse.

— Mais elle n'a pas fait allusion à ce qu'elle avait l'intention de faire ?

— Pas le moins du monde. En fait, en lui disant au revoir, je lui ai dit que je lui téléphonerais bientôt et que nous sortirions ensemble.

— Vous lui dites que vous lui téléphoneriez ? Ce sont vos derniers mots ?

— Oui.

— C'est curieux. On m'a rapporté que vous aviez dit quelque chose de tout différent.

Eustace changea de couleur.

— Bien entendu, je ne puis pas me rappeler mes paroles exactes.

— D'après mes renseignements, vous avez dit : « *Eh bien, réfléchissez, et avertissez-moi.* »

— Voyons... Oui, je crois que vous avez raison, ce n'est pas exactement cela. Je crois lui avoir demandé de m'avertir lorsqu'elle serait libre.

— Ce n'est pas tout à fait la même chose, dit Japp.

Le major Eustace haussa les épaules.

— Mon cher ami, vous ne pouvez pas vous attendre à ce qu'un homme se rappelle mot pour mot ce qu'il a dit dans une circonstance donnée.

— Qu'a répondu Mrs Allen ?

— Qu'elle me téléphonerait. C'est à peu près tout ce dont je puis me souvenir.

— Et vous avez répondu : « *All right ! A bientôt !* » ?

— Probablement. Quelque chose de ce genre, de toute façon.

Japp ajouta avec le plus grand calme.

— Vous dites que Mrs Allen vous a demandé conseil pour des placements. *Vous aurait-elle, par hasard, confié une somme de deux cents livres en numéraire pour la placer à son nom ?*

Le visage d'Eustace passa du rouge au violet, il se pencha vers Japp et grommela :

— Que diable voulez-vous dire par là ?

— L'a-t-elle fait, oui ou non ?

— C'est mon affaire, monsieur l'inspecteur principal.

Japp reprit sur le même ton calme :

— Mrs Allen a retiré de sa banque une somme de deux cents livres en numéraire, dont une partie en billets de cinq livres. Les numéros de ces billets ont été relevés et seront faciles à retrouver.

— Eh bien ! quand encore elle l'aurait fait, quel mal y a-t-il à cela ?

— Cet argent était-il destiné à un placement ? Ou était-ce le prix d'un chantage, major Eustace ?

— C'est une idée absurde. Qu'allez-vous encore inventer ?

Japp prit son ton le plus officiel.

— Je crois le moment venu de vous demander si vous consentez de plein gré à venir faire une déposition à Scotland Yard, major Eustace. Vous n'y êtes nullement contraint et vous pouvez, si vous le préférez, vous faire accompagner de votre avocat.

— De mon avocat ? Et pourquoi prendrais-je cette précaution ?

— J'enquête sur les circonstances de la mort de Mrs Allen.

— Bon Dieu, vous ne supposez pas... Mais c'est de

la folie pure ! Ecoutez, voilà ce qui s'est passé. Je suis allé voir Barbara avec laquelle j'avais pris rendez-vous...

— Quelle heure était-il ?

— Environ neuf heures et demie. Nous nous sommes assis et nous avons bavardé...

— Et fumé ?

— Oui, et fumé. Quel mal y voyez-vous ? s'écria le major furieux.

— A quel endroit cette conversation a-t-elle eu lieu ?

— Dans le living-room, à gauche en entrant. Nous avons bavardé très amicalement. Je suis parti un peu avant dix heures et demie. Je suis resté une minute sur le seuil de la porte pour quelques derniers mots...

— Les derniers mots, précisément, murmura Poirot.

— Qui êtes-vous ? J'aimerais le savoir ! fit Eustace en se tournant vers lui. Quelque sale métèque. De quoi vous mêlez-vous ?

— Je suis Hercule Poirot, dit le petit homme d'un air digne.

— Peu m'importe ce que vous êtes. Comme je l'ai dit, Barbara et moi nous sommes quittés très amicalement. J'ai repris ma voiture et suis allé tout droit au *Far East Club*. Arrivé là à onze heures moins vingt-cinq, je suis monté immédiatement à la salle de jeu où j'ai joué au bridge jusqu'à une heure et demie. Et maintenant, mettez ça dans votre poche avec votre mouchoir par-dessus.

— C'est un joli petit alibi que vous avez là, dit Poirot.

— En tout cas, il devrait être irréfutable. Alors,

monsieur, dit-il en s'adressant à Japp, êtes-vous satisfait ?

— Vous êtes resté constamment au living-room pendant votre visite ?

— Oui.

— Vous n'êtes pas monté dans le boudoir de Mrs Allen ?

— Non. Je vous ai dit que nous étions restés tout le temps au living-room.

Japp le regarda pensivement un long instant.

— Combien de boutons de manchettes jumelés avez-vous ?

— De boutons de manchettes ? Qu'est-ce que cela vient voir là-dedans ?

— Vous n'êtes pas obligé de répondre à la question, bien entendu.

— Pas obligé ? Mais je ne demande pas mieux que d'y répondre. Je n'ai rien à cacher et j'exigerai des excuses... J'ai ces boutons-ci...

Il étendit les bras et montra des boutons en or et platine.

— ... Et ceux-là.

Il se leva, ouvrit un tiroir et, prenant un écrin, il l'ouvrit brusquement sous le nez de Japp.

— C'est un très joli modèle, dit l'inspecteur. Je vois que l'un d'eux est brisé, un morceau d'émail est parti.

— Et alors, la belle affaire ?

— Vous ne vous souvenez pas quand cela est arrivé ?

— Il y a un jour ou deux, pas davantage.

— Seriez-vous étonné d'apprendre que cela s'est produit *pendant votre visite à Mrs Allen ?*

— Et pourquoi pas ? Je n'ai pas nié que j'étais allé

là-bas, dit le major qui continuait à jouer le rôle d'un innocent justement indigné, mais ses mains tremblaient.

Japp se pencha vers lui et déclara en appuyant sur les mots :

— Oui, mais ce morceau d'émail *n'a pas été trouvé dans le living-room*, mais au *premier étage*, dans le boudoir de Mrs Allen... Là, dans la chambre où elle a été tuée et où un homme a fumé *des cigarettes identiques à celles dont vous faites usage*.

Le coup porta. Eustace s'adossa à son fauteuil, les yeux égarés. L'effondrement du bravache et l'apparition du poltron ne fut pas un beau spectacle.

— Vous n'avez rien de précis contre moi ! gémit-il. Vous essayez de monter une accusation, mais vous n'y arriverez pas. J'ai un alibi... Je ne suis jamais revenu près de la maison cette nuit-là.

Poirot intervint à son tour.

— Vous n'avez sans doute pas eu besoin d'y revenir, car Mrs Allen était *peut-être déjà morte lorsque vous êtes parti*.

— Impossible, impossible... Elle était juste derrière la porte en m'accompagnant. Des gens ont dû l'entendre... La voir...

— Ils vous ont entendu lui parler, répliqua doucement Poirot, et vous avez fait semblant d'attendre sa réponse avant de parler à nouveau. C'est un vieux truc. Les gens ont pu en conclure qu'elle était là, mais ils ne l'ont pas vue, car ils n'ont pas pu nous dire si elle était ou non en robe du soir... ni même de quelle couleur était son vêtement.

— Mon Dieu... ce n'est pas vrai... pas vrai.

Il tremblait, complètement effondré. Japp le regarda avec dégoût.

— Je vais vous demander de m'accompagner, monsieur, dit-il sèchement.

— Vous m'arrêtez ?

— Je vous détiens pour supplément d'enquête, nous tournerons cela de cette façon.

Le silence fut rompu par un profond soupir, et la voix désespérée du major Eustace, autrefois si faraud, gémit :

— Je suis perdu...

Hercule Poirot se frotta les mains en souriant joyeusement. Il semblait s'amuser énormément.


CHAPITRE IX


— C'était assez curieux de le voir s'effondrer, observa Japp du point de vue professionnel, un peu plus tard dans la journée.

Ils remontaient Brompton Road en voiture avec Poirot.

— Il se savait grillé, répondit Poirot d'un air absent.

— Nous avons de nombreux chefs d'accusation contre lui, dit Japp : deux ou trois identités différentes, une astucieuse histoire de chèque, et une jolie affaire quand, descendu au *Ritz* sous le nom du colonel de Bathe, il a escroqué une demi-douzaine de commerçants de Picadilly. C'est à ce titre que nous le retenons pour le moment... jusqu'à ce que l'affaire d'assassinat soit complètement mise sur pied. Pourquoi voulez-vous m'emmener à la campagne, mon vieux ?

— Mon cher ami, une affaire doit toujours être complètement éclaircie. Tout doit être expliqué. Je suis à la recherche du mystère que vous m'avez suggéré : le mystère de la mallette disparue.

— Vous voulez parler du mystère de la petite mallette, c'est ainsi que je l'ai appelée ; elle n'a pas disparu que je sache ?

— Attendez, mon ami.

La voiture arrivait aux Mews. Devant la porte du numéro 14, Jane Plenderleith, en costume de golf, descendait d'une petite Austin. Elle regarda tour à tour les deux hommes et ouvrit la porte avec sa clé.

— Entrez, je vous prie.

Elle passa la première, Japp la suivit dans le living-room ; Poirot, resté dans le vestibule, grommela à haute voix :

— C'est embêtant... on n'arrive pas à sortir de ses manches.

Il entra peu après sans son pardessus, mais Japp sourit dans sa moustache, car il avait entendu le léger grincement d'une porte de placard que l'on ouvrait. Il jeta un coup d'œil interrogateur à Poirot qui lui répondit affirmativement par un imperceptible signe de tête.

— Nous ne vous retiendrons pas longtemps, miss Plenderleith, dit Japp. Nous sommes simplement venus vous demander le nom du notaire de Mrs Allen.

— Son notaire ? Mais je ne sais même pas si elle en avait un !

— Mais quand elle a loué cette maison avec vous, il a bien fallu qu'un homme d'affaires rédige votre accord ?

— Non, je ne crois pas, car c'est moi qui avais loué

la maison, le bail est à mon nom. Barbara me payait la moitié du loyer. Cela n'avait rien d'illégal.

— Je comprends. Eh bien ! il n'y a sans doute rien à faire.

— Je suis navrée de ne pouvoir vous aider, dit poliment Jane.

— Cela n'a pas grande importance, dit Japp en se dirigeant vers la porte. Vous avez joué au golf ?

Elle rougit.

— Oui. Cela doit vous paraître un manque de cœur de ma part, mais, en réalité, je ne pouvais plus supporter l'atmosphère de cette maison. Il me fallait sortir, me fatiguer, si je ne voulais pas étouffer.

Elle avait parlé avec passion.

— C'est très compréhensible, mademoiselle, dit vivement Poirot, et tout à fait naturel. Rester assise dans cette maison en roulant de tristes pensées devait être très pénible.

— Du moment que vous comprenez... dit sèchement Jane.

— Vous faites partie d'un club ?

— Oui, je joue à Wentworth.

— La journée a été belle, dit Poirot ; malheureusement les arbres sont en partie dépouillés actuellement, la semaine dernière, les bois étaient magnifiques.

— Il faisait très bon aujourd'hui.

— Au revoir, miss Plenderleith, dit cérémonieusement Japp. Je vous préviendrai lorsque nous aurons quelque chose de certain. Au fait, nous avons emprisonné un suspect.

— Qui est-ce ? fit-elle en les regardant avidement.

— Le major Eustace.

Elle inclina la tête et se baissa pour allumer le feu.

— Eh bien ? dit Japp comme la voiture tournait à l'angle des Mews.

Poirot sourit.

— Rien de plus simple, la clé était sur la porte cette fois.

— Et ?...

Poirot de nouveau sourit.

— Eh bien ! les clubs de golf n'y étaient plus...

— Naturellement. La jeune fille, quelle qu'elle soit par ailleurs, n'est certainement pas sotte. Manquait-il autre chose ?

— Oui, mon ami, la petite mallette !

L'accélérateur sauta sous le pied de Japp.

— Malédiction ! fit-il. Je savais bien qu'il y avait quelque chose, mais que diable cela peut-il être ? J'ai fouillé consciencieusement cette mallette.

— Mon pauvre Japp... mais c'est... — Comment dites-vous ? — évident, mon cher Watson.

Japp lui lança un regard exaspéré.

— Où allons-nous ?

Poirot consulta sa montre.

— Il n'est pas quatre heures, je crois que nous pourrions arriver à Wentworth avant la nuit.

— Croyez-vous qu'elle y soit réellement allée ?

— Oui, car elle n'ignore pas que nous pouvons nous renseigner. Je crois que nous découvrirons qu'elle y est venue.

— Eh bien ! allons-y, bien que je ne puisse imaginer en quoi cette mallette peut concerner le crime. Je ne vois pas du tout comment elle peut y être mêlée.

— Précisément, mon ami, je suis tout à fait d'accord avec vous... elle n'a rien à faire avec le crime.

— Alors pourquoi ?... Non, ne me dites rien ! De

l'ordre et de la méthode, tout doit être parfaitement éclairci ! Eh bien ! c'est une belle journée !

La voiture était puissante, ils arrivèrent au Golf Club de Wentworth à quatre heures et demie. Il n'y avait pas grand monde un jour de semaine.

Poirot alla directement trouver le chef des caddies et lui demanda les clubs de miss Plenderleith sous prétexte qu'elle devait jouer le lendemain sur un autre terrain. Il lui apporta un sac portant les initiale J.P.

— Merci, dit Poirot.

Il fit deux ou trois pas et, se retournant, ajouta d'un ton détaché :

— Elle ne vous aurait pas, par hasard, confié aussi une petite mallette ?

— Pas aujourd'hui, monsieur. Elle peut l'avoir laissée au pavillon.

— Elle est venue ici aujourd'hui ?

— Oh ! oui, je l'ai vue.

— Quel caddie a-t-elle emmené, vous rappelez-vous ? Elle a égaré une mallette et ne peut pas se souvenir où elle l'avait en dernier lieu.

— Miss Plenderleith n'a pas pris de caddie, elle est entrée ici, a acheté deux balles, et a pris seulement deux clubs, il me semble me rappeler qu'elle avait alors une petite mallette à la main.

Poirot le remercia et les deux hommes contournèrent le pavillon. Poirot s'arrêta un instant pour admirer la vue.

— N'est-ce pas merveilleux... Ces pins sombres et ce lac ! Oui, le lac...

Japp lui lança un bref coup d'œil.

— Ah ! voilà donc votre idée de derrière la tête ?

Poirot sourit.

— Il est possible que quelqu'un ait remarqué quelque chose. A votre place, je commencerais ma petite enquête.

## CHAPITRE X

Poirot se recula légèrement pour examiner l'aménagement de la pièce. « Un fauteuil ici... Un autre là. Oui, c'est très bien. Et on sonne à la porte, ce doit être Japp. »

L'inspecteur de Scotland Yard entra d'un pas alerte.

— Vous aviez raison, mon vieux ! J'ai été renseigné tout de suite : on a vu hier une jeune femme jeter quelque chose dans le lac de Wentworth. Son signalement correspond à Jane Plenderleith. Nous avons pu retirer l'objet de l'eau sans trop de difficultés, il y a un tas de roseaux à cet endroit.

— Et c'était ?

— La mallette, bien entendu ! Mais pourquoi, au nom du ciel, pourquoi ? Ça me dépasse ! Il n'y avait rien dedans... Pas même les magazines. Pourquoi une jeune femme apparemment saine d'esprit a-t-elle voulu jeter une mallette de prix au fond d'un lac ? Le savez-vous ? Cela m'a tracassé toute la nuit, car je n'ai jamais pu trouver la réponse.

— Mon pauvre Japp ! Inutile de vous tourmenter plus longtemps. La réponse arrive... On vient de sonner.

Georg, l'impeccable valet de chambre de Poirot, ouvrit la porte et annonça :

— Miss Plenderleith.

La jeune fille entra avec son aisance habituelle et salua les deux hommes.

— Je vous ai priée de venir ici, expliqua Poirot. Prenez donc ce fauteuil, et vous celui-là, Japp, parce que j'ai certaines nouvelles à vous donner.

La jeune fille s'assit, regarda alternativement les deux hommes et, d'un geste brusque, ôta son chapeau qu'elle posa à côté d'elle.

— Eh bien ! dit-elle, le major Eustace a été arrêté.

— Je suppose que vous avez lu cela dans le journal du matin ?

— Oui.

— Il est inculpé, pour le moment, d'un délit d'importance secondaire, poursuivit Poirot, et, entre temps, nous recherchons des preuves concernant le crime.

— C'était donc bien un crime ? demanda vivement la jeune fille.

— Oui, dit-il, c'était un crime, la destruction volontaire d'un être humain par un autre être humain.

Elle frissonna légèrement.

— Oh ! taisez-vous ! murmura-t-elle. Cela paraît horrible, quand vous le présentez ainsi.

— Oui, mais c'est horrible.

Il prit un temps avant d'ajouter :

— Et maintenant, miss Plenderleith, je vais vous révéler comment je suis arrivé à découvrir la vérité.

Elle regarda tour à tour Poirot et Japp, ce dernier souriait.

— Il a ses méthodes personnelles, miss Plenderleith,

dit-il, je me plie à ses caprices, et je crois que nous devons écouter ce qu'il a à dire.

Poirot se rengorgea.

— Comme vous le savez, mademoiselle, je suis arrivé avec mon ami sur la scène du crime le 6 novembre au matin. Nous entrâmes dans la chambre où l'on avait découvert le cadavre de Mrs Allen et je fus immédiatement frappé par certains détails très significatifs. Il y avait des choses très bizarres dans cette pièce, voyez-vous.

— Continuez, dit la jeune fille.

— Tout d'abord, dit Poirot, l'odeur de fumée de cigarette.

— Je crois que vous exagérez un peu, Poirot, dit Japp, car je n'ai rien senti du tout.

Poirot se tourna brusquement vers lui.

— Précisément. Vous n'avez senti aucun relent de fumée, pas plus que moi, et c'était très très étrange, étant donné que porte et fenêtre étaient fermées et qu'il n'y avait pas moins de dix mégots dans un cendrier. C'était tout à fait extraordinaire que l'atmosphère de la chambre fût aussi pure.

— Ainsi, c'est à cela que vous voulez en venir ! dit Japp en soupirant. Vous avez des moyens si tortueux pour arriver à vos fins !

— Votre Sherlock Holmes opérait de même. Souvenez-vous qu'il attira l'attention sur le curieux incident du chien pendant la nuit. Or, le chien n'avait rien fait du tout. Mais je continue : la seconde chose qui me sauta aux yeux fut le bracelet-montre de la morte.

— Eh bien ! Qu'avait-il d'extraordinaire ?

— Rien de particulier, si ce n'est qu'elle le portait au

poignet droit alors qu'on le porte généralement au poignet gauche.

Japp haussa les épaules. Sans lui laisser le temps de parler, Poirot poursuivit :

— Mais comme vous le pensez, il n'y a rien de définitif là-dedans, certaines personnes préfèrent porter leur montre à droite. J'en viens maintenant à quelque chose de réellement intéressant... Il s'agit, mes amis, du bureau.

— Oui, je l'ai deviné, dit Japp.

— C'était vraiment bizarre... Tout à fait remarquable, pour deux raisons. La première est que quelque chose y manquait.

— Qu'est-ce qui manquait ? dit vivement Jane Plenderleith.

Poirot se tourna vers elle.

— Une feuille de papier buvard, mademoiselle. Le sous-main contenait une feuille absolument vierge.

Jane haussa les épaules.

— Mais, voyons, monsieur Poirot, les gens enlèvent parfois une feuille trop souillée.

— Oui, mais qu'en font-ils ? Ils la jettent dans la corbeille à papiers, n'est-ce pas ? Or, celle-ci n'y était pas. J'ai regardé.

Jane Plenderleith s'impatientait.

— Parce qu'elle avait probablement été jetée la veille et la feuille de buvard était propre parce que Barbara n'avait pas écrit ce jour-là.

— Cela ne peut guère être le cas, mademoiselle, car *Mrs Allen est allée poster des lettres ce soir-là, on l'a vue. Elle avait donc écrit.* Or, elle ne pouvait le faire au rez-de-chaussée où il n'y a pas de quoi écrire, et ne serait vraisemblablement pas allée dans votre chambre pour cela. Alors qu'est devenue la feuille sur laquelle elle a séché ses lettres ? Il est vrai que certaines personnes jettent les papiers au feu au lieu de les mettre dans la corbeille, mais il n'y avait qu'un radiateur à gaz dans la chambre. *Et le feu du rez-de-chaussée n'avait pas été allumé la veille, puisque vous m'avez dit qu'il était tout prêt dans la cheminée lorsque vous l'avez fait flamber avec une allumette.*

Il s'interrompit un instant.

— Curieux petit problème. J'ai regardé partout dans les corbeilles à papiers, dans la poubelle, sans pouvoir y découvrir trace de buvard... et cela me sembla très important. On aurait dit que quelqu'un avait volontairement enlevé cette feuille de buvard. Pourquoi ? Parce qu'elle contenait des traces d'écriture que l'on aurait pu facilement déchiffrer en la présentant devant un miroir.

« Un autre point curieux attira mon attention sur le bureau. Vous vous souvenez peut-être des objets qui y étaient disposés, Japp ? Sous-main et encrier au centre, plumier à gauche, calendrier et plume d'oie à droite. Eh bien ? Ne comprenez-vous pas ? La plume d'oie, je l'ai examinée — vous vous en souvenez — n'était là que comme ornement, elle n'avait jamais servi. Alors ? Vous ne voyez toujours pas ? Je recommence : sous-main au centre, plumier à gauche, *à gauche*, Japp. N'est-il pas courant de mettre le plumier *à droite*, à portée de la main droite ?

« Ah ! cela vient, n'est-ce pas ? Le plumier à *gauche*. Le bracelet-montre au poignet *droit*. Le buvard enlevé et quelque chose d'autre apporté *dans* la pièce : le cendrier contenant des mégots !

« L'atmosphère de cette chambre était pure et

fraîche, Japp. C'était celle d'une pièce dont la fenêtre avait été *ouverte* et non fermée toute la nuit... et un tableau se déroula devant mes yeux.

Il fit face à Jane.

— Un tableau vous représentant, mademoiselle, descendant de taxi, payant le chauffeur et montant quatre à quatre l'escalier en appelant peut-être : « Barbara ! »... et vous ouvrez la porte, vous voyez votre amie morte gisant sur le sol, revolver en main — dans la main gauche, naturellement, car elle est gauchère — et c'est pour cela aussi que la balle est entrée sur le côté gauche de sa tête. Elle a laissé pour vous une lettre indiquant ce qui l'a décidée à se tuer. C'était, j'imagine, une lettre très émouvante... Une femme jeune, douce et malheureuse, amenée par un chantage à se supprimer.

« Je crois que l'idée se présenta presque aussitôt à votre esprit. Cette mort était l'œuvre d'un homme, qu'il en soit puni et reçoive le juste châtiment de ses méfaits ! Alors vous prenez le revolver, vous l'essuyez et le replacez dans la main *droite*. Vous prenez la lettre et arrachez la feuille de buvard sur laquelle elle a séchée. Vous descendez, allumez le feu et jetez le tout dans les flammes. Puis vous montez le cendrier pour compléter l'illusion de deux personnes passant la soirée là-haut et vous emportez aussi un fragment de bouton de manchette en émail que vous avez trouvé par terre — trouvaille heureuse, qui, vous l'espérez, sera une preuve décisive. Vous fermez ensuite la fenêtre, puis la porte a clé, car on ne doit pas soupçonner que vous avez pénétré dans la pièce. La police doit voir les choses telles qu'elles sont, aussi, loin de chercher de l'aide chez vos voisins, vous téléphonez directement au commissariat.

« Et cela marche à souhait. Vous jouez le rôle que

vous vous êtes imposé avec discernement et sang-froid. Vous refusez d'abord de dire quoi que ce soit, mais vous suggérez très habilement des doutes sur le suicide. Plus tard, vous êtes toute disposée à nous lancer sur la piste du major Eustace...

« Oui, mademoiselle, ce fut très habile... Un crime très ingénieux... Car, en réalité, c'est une tentative d'assassinat du major Eustace.

Jane Plenderleith se leva d'un bond.

— Ce n'est pas un crime, mais une œuvre de justice. Cet homme s'est acharné contre la pauvre Barbara et l'a pourchassée jusqu'à la mort. Elle était si douce, si faible, la pauvre petite s'était laissée embobeliner par un homme aux Indes lorsqu'elle y alla toute jeune. Elle n'avait que dix-sept ans, lui était marié et beaucoup plus âgé qu'elle. Vint un enfant, elle aurait pu le placer dans un asile, mais ne put s'y résoudre ; elle partit alors se cacher dans un pays perdu et reparut au bout d'un certain temps en se faisant appeler Mrs Allen. Plus tard l'enfant mourut. Elle revint ici et tomba amoureuse de Charles... Ce vaniteux, cette espèce de hibou empaillé ! Elle l'adorait et il daignait accepter son amour. S'il avait été un autre homme, je lui aurais conseillé de tout lui avouer, mais, connaissant sa vanité, je la suppliai de garder le silence. Après tout, personne, excepté moi, ne connaissait son aventure.

« Et il a fallu que ce démon d'Eustace surgisse dans sa vie ! Vous connaissez le reste. Il commença par la saigner aux quatre veines, systématiquement, mais c'est hier seulement qu'elle a compris qu'elle exposait également Charles au scandale. Une fois mariée à Charles, Eustace l'aurait amenée où il voulait... Mariée à un homme riche ayant horreur du scandale ! Lorsqu'Eustace fut parti, nanti de l'argent qu'elle lui avait donné, elle réfléchit longuement, puis elle monta dans sa chambre et m'écrivit une lettre disant qu'elle aimait Charles et ne pouvait vivre sans lui, mais que, dans le propre intérêt de son bien-aimé, elle ne pouvait l'épouser. « Je prends la seule issue possible », ajoutait-elle.

Jane rejeta sa tête en arrière.

— Etes-vous surpris que j'aie agi comme je l'ai fait ? Et vous appelez cela un crime !

— Parce que c'est un crime, dit Poirot d'un ton sévère. Le crime peut sembler parfois justifié, mais c'est *tout de même un crime*. Vous êtes franche et lucide, regardez la vérité en face, mademoiselle. Votre amie est morte, en dernier ressort, *parce qu'elle n'avait pas le courage de vivre*. Nous pouvons sympathiser avec elle, nous pouvons la plaindre. Mais le fait demeure... L'acte fut son œuvre et non celle d'un autre.

Il prit un temps.

— Et vous ? Cet homme est en prison maintenant, il subira une longue détention pour d'autres faits. Désirez-vous réellement, de votre propre gré, détruire la vie — la *vie*, vous entendez — de n'importe quel être humain ?

Elle le regardait fixement, ses yeux s'assombrirent, elle murmura soudain :

— Non. Vous avez raison. Je ne le veux pas...

Puis, tournant les talons, elle s'enfuit. Et la porte claqua derrière elle...

. . . . . . . . . . . . . . . . . . . . . . . . . . . . . . . . . . . . . . . . . . . . .

Japp émit un long sifflement.

— Eh bien ! ça, par exemple !

Poirot s'assit et lui sourit aimablement. Ils restèrent un long moment sans parler.

— Ce n'est pas un crime maquillé en suicide, mais un suicide à qui on a donné l'aspect d'un crime, dit Japp.

— Oui, et cela a été fait habilement sans jamais dépasser la mesure.

— Et la mallette ? reprit Japp. Que vient-elle faire là-dedans ?

— Mais, mon très cher ami, je vous ai déjà dit qu'elle n'avait rien à voir avec l'affaire.

— Alors pourquoi... ?

— Les clubs de golf, Japp, les clubs. C'étaient *les clubs d'une gauchère*. Jane Plenderleith laissait les siens à Wentworth. Le sac contenait ceux de Barbara Allen, rien d'étonnant à ce que la jeune fille ait eu la frousse lorsque nous avons ouvert le placard. Tout son plan pouvait être anéanti. Mais elle a l'intelligence vive et a tout de suite compris qu'elle s'était trahie pendant un bref instant. Elle s'est aperçue que nous l'avions remarqué, alors elle a fait la première chose qui lui est venue à l'esprit pour attirer notre attention sur un autre objet non compromettant. Elle a dit en montrant la mallette : « C'est à moi... Je l'ai apportée ce matin. Elle ne peut rien contenir d'intéressant. » Et, comme elle l'espérait, vous avez suivi la fausse piste. Pour la même raison, lorsqu'elle est sortie le lendemain matin pour se débarrasser des clubs de Barbara, elle a continué à se servir de la mallette comme faux appât pour vous dépister.

— Vous voulez dire que son véritable but était...

— Réfléchissez, mon ami. Quel est le meilleur endroit pour se débarrasser d'un sac de clubs de golf ?

On ne peut ni les brûler, ni les jeter à la poubelle. Si on les laisse quelque part, on peut vous les rapporter. Miss Plenderleith les a emportés sur un terrain de golf. Elle les a laissés au pavillon et a tiré deux clubs de son propre sac, puis est partie sur le terrain sans se faire accompagner d'un caddie. Sans aucun doute, elle aura, à intervalles bien calculés, cassé un club ou deux et jeté les morceaux dans quelque fourré, et finalement, le sac vidé, elle s'en sera débarrassée. Personne ne s'étonnerait de trouver par ci, par là un club brisé, on a vu des joueurs casser et jeter leurs clubs dans un moment d'exaspération après avoir raté leur coup.

« Miss Plenderleith, sachant que ses actes pouvaient être surveillés, est allée jeter cet utile appât — la mallette — d'une façon quelque peu spectaculaire dans le lac. Et voilà, mon cher ami, toute la vérité sur le « Mystère de la mallette ».

Japp regarda longuement son ami sans mot dire, puis il se leva brusquement, lui tapota l'épaule et éclata de rire.

— Ce n'est pas si mal pour un vieux renard ! Ma parole, à vous le pompon ! Venez, allons manger un morceau.

— Avec plaisir, mon ami, mais, en fait de morceau, il nous faut une omelette aux champignons, une blanquette de veau, des petits pois à la française et, pour finir, un baba au rhum.

— Allons-y ! dit Japp.

## FIN

# L'INVRAISEMBLABLE VOL

*(The incredible theft)*

# CHAPITRE PREMIER

Comme le maître d'hôtel passait le soufflé, lord Mayfield se pencha confidentiellement vers sa voisine de
droite, lady Julia Carrington. Soucieux de maintenir sa
réputation d'hôte parfait, lord Mayfield, bien que céli-
bataire, était toujours charmant avec les femmes.

Lady Julia Carrington, âgée de quarante ans, grande,
brune, pleine d'entrain, très mince, mais encore très
belle, avait de petits pieds et des mains fines particulièrement ravissants. Ses manières brusques, son agita-
tion indiquaient une femme qui vivait sur ses nerfs.

Son mari, le maréchal de l'Air sir George Carrington,
était assis presque en face d'elle, de l'autre côté de la
table ronde. Ayant commencé sa carrière dans la
Marine, il avait gardé la cordialité un peu bourrue de
l'ex-marin et taquinait en riant la belle Mrs Vanderlyn,
placée à gauche de leur hôte.

Mrs Vanderlyn était une ravissante blonde dont la
voix avait gardé un soupçon d'accent américain assez
léger pour être agréable sans exagération.

La voisine de droite de sir George Carrington,

Mrs Macatta, M.P. (1), était une autorité en matière de logement et de protection de l'enfance. Elle glapissait de courtes phrases au lieu de parler naturellement et son aspect général était quelque peu inquiétant. Rien d'étonnant à ce que le maréchal de l'Air trouvât plus agréable de converser avec sa voisine de droite.

Mrs Macatta, qui parlait toujours « boutique » en quelque lieu qu'elle soit, donnait d'une voix tonitruante de brefs renseignements sur le sujet qui lui tenait à cœur à son voisin de gauche, le jeune Reggie Carrington.

C'était un garçon de vingt et un ans qui ne s'intéressait aucunement au logement et à la protection de l'enfance pas plus qu'à n'importe quel sujet politique. Il répondait de loin en loin : « C'est vraiment affreux ! » ou « Je suis tout à fait d'accord avec vous », bien que son esprit fût manifestement ailleurs. Mr Carlile, le secrétaire particulier, placé entre le jeune Reggie et sa mère, un pâle jeune homme portant lorgnon, avait un air réservé et intelligent, il parlait peu mais était toujours prêt à ranimer la conversation sur n'importe quel sujet lorsque celle-ci languissait. S'apercevant que Reggie Carrington étouffait avec peine un bâillement, il se pencha vers Mrs Macatta et lui posa habilement une question sur son sujet favori.

Circulant sans bruit autour de la table, dans la discrète lumière ambrée, un maître d'hôtel et deux valets de pied passaient les plats et remplissaient les verres.

Lord Mayfield donnait de gros gages à son chef et avait la réputation de se connaître en vins.

Bien que la table fût ronde, on ne pouvait se

(1) Membre du parlement.

méprendre sur la personnalité de l'hôte, la place occupée par lord Mayfield étant incontestablement celle du maître de maison. Celui-ci, grand, épaules larges, épais cheveux blancs, long nez aquilin et menton légèrement proéminent, avait un visage qui prêtait à la caricature. Comme sir Charles McLanghlin, lord Mayfield avait entrepris une carrière politique tout en dirigeant une très importante industrie de constructions mécaniques. Son élévation à la pairie datait d'un an, il avait été nommé en même temps ministre des Armements, fonction nouvellement créée.

Le dessert terminé, le porto ayant circulé une fois, lady Julia, après avoir attiré le regard de Mrs Vanderlyn, se leva. Les trois femmes quittèrent la salle à manger.

Le porto passa de nouveau à la ronde et lord Mayfield parla chasse et faisans. Pendant cinq minutes, la conversation roula sur des sujets sportifs, puis sir George se pencha vers Reggie Carrington.

— Tu désires sans doute aller rejoindre les autres au salon, mon cher enfant. Lord Mayfield ne s'en froissera pas.

Le jeune homme saisit aussitôt l'intention.

— Merci, lord Mayfield, je profite de votre permission.

Mr Carlile murmura :

— Si vous voulez bien m'excuser, lord Mayfield, j'ai certains travaux à terminer...

Lord Mayfield ayant approuvé d'un signe, les deux jeunes gens quittèrent la pièce. Les domestiques s'étant déjà retirés, le ministre de l'Armement et le chef de l'Aviation restèrent seuls.

Après une minute de silence, Carrington demanda :

— Et alors, c'est O.K. ?

— Sans aucun doute. Il n'existe rien qui puisse approcher ce nouveau bombardier dans n'importe quel pays d'Europe.

— Vous les battez à plate couture, hein ? C'est bien ce que je pensais.

— Nous avons la suprématie de l'air, dit lord Mayfield avec assurance.

Sir George Carrington poussa un profond soupir.

— Il était temps ! Savez-vous, Charles, que nous venons de traverser une période critique avec ces monceaux de munitions accumulées dans l'Europe entière, alors que nous n'étions pas prêts. Sacrebleu ! nous l'avons échappé belle ! Et nous ne sommes pas encore tirés d'affaire, même en accélérant la construction.

— Il y a néanmoins certain avantage à commencer tard, George, murmura lord Mayfield. Une grande partie des armements européens sont déjà de modèles périmés... Ces pays sont, en outre, dangereusement près de la faillite.

— Cela ne signifie rien, déclara sir George, on entend toujours dire qu'une nation ou l'autre est sur le point de faire banqueroute ! Mais elles continuent quand même. La question finance est un mystère total pour moi.

Un éclair de malice brilla dans le regard de lord Mayfield, sir George Carrington était si manifestement le vieux loup de mer honnête et vieux jeu ! Certaines personnes prétendaient même que c'était une attitude adoptée volontairement.

Changeant de sujet, Carrington observa avec un naturel un peu trop appuyé :

— Mrs Vanderlyn est une femme bien séduisante.

Lord Mayfield rit sous cape.

— Vous demanderiez-vous ce qu'elle fait ici ?

Carrington prit un air confus.

— Oh ! pas du tout !... Pas du tout !

— Mais si ! Ne le niez pas, vieux farceur, vous vous demandiez avec quelque effarement si je n'étais pas sa dernière victime !

Carrington répondit posément :

— Je reconnais que sa présence ici, pendant ce week-end en particulier, me paraissait un peu singulière.

Lord Mayfield inclina la tête.

— Là où gît la carcasse, les vautours se rassemblent. Or, nous avons une carcasse et Mrs Vanderlyn peut être classée comme le Vautour n° 1.

— Avez-vous des renseignements sur cette Vanderlyn ? demanda brusquement le maréchal de l'Air.

Lord Mayfield coupa le bout de son cigare, l'alluma avec soin et, renversant la tête, déclara en scandant ses mots :

— Je sais qu'elle est sujet américain, qu'elle a eu trois maris : un Italien, un Allemand et un Russe et, qu'en conséquence, elle a pu établir ce que l'on appelle, je crois, des « contacts » utiles dans ces trois pays. Je sais qu'elle réussit à acheter des toilettes de prix, à vivre d'une façon fort luxueuse, mais que la source de ses revenus est assez douteuse.

George Carrington sourit.

— Je vois que vos espions ne sont pas restés inactifs, Charles.

— Je sais aussi, poursuivit lord Mayfield, qu'outre

son genre de beauté extrêmement séduisant, Mrs Vanderlyn est une très bonne auditrice et qu'elle peut montrer un intérêt passionné pour ce que nous appelons parler « boutique ». Ce qui revient à dire qu'un homme peut lui donner des renseignements complets sur sa situation et son genre de travail et s'imaginer qu'il intéresse la dame au plus haut point ! Divers jeunes officiers sont allés un peu trop loin dans leur désir de se montrer intéressants et leur carrière en a souffert. Ils ont révélé à Mrs Vandelyn un peu plus qu'ils n'auraient dû. Presque tous les amis de la dame appartiennent aux différents Services... Mais, l'hiver dernier, elle chassait dans un certain comté, tout près de notre plus grande fabrique d'armements, elle s'y est fait de nombreux amis qui n'avaient rien de divertissant. En bref, Mrs Vanderlyn est une personne très utile pour... (Il traça un cercle avec son cigare.) Peut-être mieux vaut-il ne pas dire pour qui ! Mettons que ce soit une puissance européenne... et peut-être plus.

Carrington soupira.

— Vous m'enlevez un grand poids sur le cœur, Charles.

— Vous pensiez que je m'étais pris au charme de la sirène ? Mon pauvre George ! Mrs Vanderlyn a des méthodes un peu trop voyantes pour un vieux renard tel que moi. D'ailleurs, elle n'est plus, dirons-nous, aussi fraîche qu'elle l'a été. Vos jeunes aviateurs ne le remarqueraient pas, mais j'ai cinquante-six ans, mon cher. Dans quatre ans, je serai probablement un vieux galantin ne prisant que la compagnie de très jeunes récalcitrantes.

— J'ai été stupide, déclara Carrington, mais cela me semblait bizarre...

— ... qu'elle soit ici dans une réunion intime au moment où vous et moi devions conférer à titre officieux au sujet d'une découverte qui doit révolutionner toute la question de la défense de l'air ?

Sir George Carrington inclina la tête.

Lord Mayfield sourit.

— Mais, précisément. C'est l'appât.

— L'appât ?

— Voyez-vous, George, pour employer le langage du cinéma, nous ne possédons rien « sur » cette femme et il nous faut quelque chose, actuellement. Elle s'en est tirée un peu trop souvent et un peu trop bien jusqu'ici, mais elle a été prudente... diaboliquement prudente. Nous savons ce qu'elle a fait, mais nous n'avons aucune preuve certaine. Il faut donc la tenter avec quelque chose de très important.

— Ce quelque chose étant la description exacte du nouveau bombardier.

— Exactement. C'est assez gros pour l'inciter à prendre le risque... et à se découvrir. Alors... nous la tiendrons !

Sir George grommela :

— C'est très joli, mais supposez qu'elle ne veuille pas prendre le risque.

— Ce serait dommage, dit lord Mayfield. Mais je crois qu'elle le prendra.

Il se leva.

— Si nous allions rejoindre ces dames. Il ne faut pas priver votre femme de son bridge.

— Julia est bien trop férue de bridge, grommela sir George ; elle y fait des pertes énormes. Elle ne peut pas se permettre de jouer aussi gros jeu, je le lui ai dit. Le malheur est que Julia est une joueuse invétérée.

Il rejoignit son ami.

— J'espère que votre plan réussira, Charles, dit-il.

## CHAPITRE II

Au salon, la conversation s'était ralentie plus d'une
fois. Mrs Vanderlyn semblait toujours à son désavantage
dans une compagnie exclusivement féminine. Ses
manières charmantes, si appréciées de l'élément mascu-
lin, ne réussissaient pas auprès des personnes de son
sexe. Lady Julia pouvait être aimable ou très distante,
dans l'occasion présente, Mrs Vanderlyn lui était anti-
pathique et Mrs Macatta l'ennuyait à périr, aussi ne
dissimulait-elle pas ses sentiments. La conversation languissait et aurait même cessé complètement sans
Mrs Macatta.

Celle-ci étant une femme sérieuse, qui prenait son
rôle à cœur, ne perdait jamais de vue son but. Elle
classa immédiatement Mrs Vanderlyn parmi les créa-
tures inutiles du genre parasite, mais elle essaya d'intéresser lady Julia à une prochaine fête de charité
qu'elle organisait. Lady Julia, absorbée par ses préoccu-
pations intérieures, répondit vaguement, étouffant plus
d'un bâillement. Pourquoi Charles et George ne reve-
naient-ils pas ? Les hommes sont vraiment bien
ennuyeux... et ses réponses devinrent encore plus rares
lorsqu'elle pensa à ses propres soucis.

Les trois femmes étaient assises en silence lorsque les
hommes revinrent finalement au salon.

« Julia a bien mauvaise mine ce soir, pensa

lord Mayfield en la voyant. Cette pauvre femme n'est qu'un paquet de nerfs. »

— Que diriez-vous d'un petit bridge ? dit-il à haute voix.

Instantanément, le visage de lady Julia s'éclaira. Le bridge était sa passion.

Reggie Carrington arrivait au même instant, la partie pouvait s'engager. Lady Julia, Mrs Vanderlyn, sir George et le jeune Reggie s'assirent autour de la table à jeu. Lord Mayfield se dévoua pour distraire Mrs Macatta.

La seconde partie terminée, sir George regarda ostensiblement la pendule.

— Cela ne vaut guère la peine d'en commencer une autre, dit-il.

Sa femme parut contrariée.

— Il n'est qu'onze heures moins un quart. Nous pouvons en faire une très courte.

— Elles ne le sont jamais, dit sir George. De toute façon, Charles et moi avons du travail à faire.

— Comme cela paraît important ! murmura Mrs Vanderlyn. Je suppose que vous autres, grandes intelligences, qui acceptez les postes les plus élevés, vous ne vous reposez jamais.

— Il n'y a pas de semaine de quarante-huit heures pour nous, déclara sir George.

— Savez-vous que je suis un peu honteuse de ma personne en tant qu'Américaine novice, mais je suis absolument bouleversée de joie en présence de personnages qui dirigent les destinées d'un pays. Je suppose que cela doit vous paraître un point de vue bien... bien fruste, sir George.

— Ma chère Mrs Vanderlyn, il ne me viendrait

jamais à l'idée de vous trouver « novice » ou
« fruste ».

Il lui souriait et il y avait peut-être une légère pointe
d'ironie dans sa voix qu'elle ne manqua pas de percevoir. Habilement, elle se tourna vers Reggie et le
regarda en souriant.

— Je suis navrée que nous n'ayons pas continué la
partie, vous êtes un excellent partenaire, vos quatre sans
atouts étaient de première force.

Reggie, ravi, rougit jusqu'aux oreilles.

— J'ai eu de la veine de m'en sortir.

— Oh ! non, c'était dû à une intelligente déduction
de votre part. Vous aviez compris, d'après les appels, où
se trouvaient les cartes et vous avez joué en conséquence. J'ai trouvé cela particulièrement brillant.

Lady Julia se leva brusquement.

« Cette femme manie l'encensoir à tour de bras »,
songea-t-elle.

Mais en regardant son fils, elle s'adoucit. Il croyait
tout et buvait ses paroles. Comme il était jeune et
paraissait heureux ! Comme il était naïf, rien d'étonnant à ce qu'il s'attirât des ennuis, il était trop confiant,
cela venait de son naturel trop bon, trop doux. George
ne le comprenait absolument pas. Les hommes sont si
peu compatissants, si froids dans leur façon de juger, ils
oublient qu'ils ont été jeunes. George était bien trop
dur avec Reggie.

Mrs Macatta s'était levée, on se souhaita bonne nuit.
Les trois femmes sortirent du salon. Lord Mayfield
remplit son verre après avoir servi sir George et releva
la tête comme Mr Carlile paraissait sur le seuil de la
porte.

— Sortez les dossiers et tous les papiers, je vous

prie, Carlie. Y compris les plans et les bleus. Le maréchal de l'Air et moi vous rejoindrons sous peu, nous allons simplement faire un petit tour dehors, qu'en dites-vous, George ? Il ne pleut plus.

Mr Carlile se retourna après avoir murmuré une excuse et faillit se heurter à Mrs Vanderlyn qui revenait précipitamment.

— Je viens chercher le livre que je lisais avant dîner, murmura-t-elle.

Reggie s'élança, un livre à la main.

— Est-ce celui-ci ? Il était sur le divan.

— Oh ! oui, merci infiniment.

Elle eut un sourire charmant, dit bonsoir à nouveau et sortit de la pièce.

Sir George avait ouvert l'une des portes-fenêtres.

— Quelle belle nuit, dit-il, et quelle bonne idée de nous proposer ce petit tour dehors.

Reggie s'avança.

— Je vais vous dire bonsoir et aller me coucher, dit-il.

— Bonne nuit, petit, dit lord Mayfield.

Reggie prit le roman policier qu'il avait commencé avant dîner et les quitta. Lord Mayfield et sir George passèrent sur la terrasse.

Le ciel clair était semé d'étoiles. Sir George aspira profondément l'air frais.

— Ouf ! fit-il. Cette femme se parfume exagérément !

Lord Mayfield éclata de rire.

— En tout cas, pas avec un parfum bon marché. Celui qu'elle utilise est l'un des plus coûteux.

Sir George fit la grimace.

— Je suppose que l'on devrait s'en féliciter.

— Certainement. Je trouve qu'une femme inondée de parfum bon marché est l'une des plus grandes abominations connues de l'espèce humaine.

Sir George regarda le ciel.

— C'est extraordinaire qu'il se soit dégagé à ce point, j'ai entendu la pluie tomber à flots pendant que nous dînions.

Les deux hommes s'avancèrent à pas lents sur la terrasse qui s'étendait sur toute la longueur de la maison. En dessous d'elle le terrain dévalait en pente douce, offrant une vue magnifique sur la plaine onduleuse du Sussex.

Sir George alluma un cigare.

— Au sujet de cet alliage métallique, dit-il...

La conversation devint technique.

Comme ils arrivaient pour la cinquième fois au bout de la terrasse, lord Mayfield dit en soupirant :

— Allons, nous ferions mieux de nous y mettre tout de suite.

— Oui, car nous avons bien des choses à voir.

Les deux hommes se retournèrent, soudain lord Mayfield poussa une exclamation de surprise.

— Hello ! Vous avez vu cela ?

— Quoi donc ? demanda sir George.

— J'ai cru voir quelqu'un sortir de mon bureau et traverser la terrasse.

— C'est absurde, mon vieux, je n'ai rien vu.

— Moi si... Du moins, l'ai-je cru.

— Vos yeux vous jouent des tours. Je voyais toute la longueur de la terrasse et n'ai même pas aperçu une ombre. Or, j'ai une excellente vue, rien ne m'échappe, même si je dois tenir mon journal à bout de bras.

Lord Mayfield rit sous cape.

— Je vous dame le pion, George, car je lis facilement sans lunettes.

— Mais vous ne distinguez pas toujours le type qui se trouve de l'autre côté de la Chambre. A moins que le monocle que vous arborez soit un simple moyen d'intimidation.

En riant, les deux hommes pénétrèrent dans le bureau de lord Mayfield dont la porte-fenêtre était ouverte.

Mr Carlile était en train de ranger des papiers dans un classeur placé à côté du coffre-fort. Il leva la tête à leur entrée.

— Eh bien ! Carlile, tout est-il prêt ?

— Oui, lord Mayfield, tous les papiers sont sur votre bureau.

Le bureau en question était une longue table d'acajou posée de biais dans un coin près de la fenêtre. Lord Mayfield s'en approcha et se mit à trier les documents étalés sur la table.

— Quelle nuit magnifique ! dit sir George.

— Oui, répondit Mr Carlile. C'est extraordinaire que le ciel se soit éclairci si vite après la pluie.

Le secrétaire, ayant fini de ranger son dossier, demanda :

— Avez-vous encore besoin de moi ce soir, lord Mayfield ?

— Non, je ne crois pas, Carlile. Nous allons veiller tard. Mieux vaut aller vous coucher.

— Merci. Bonsoir, lord Mayfield, bonsoir, sir George.

— Bonne nuit, Carlile.

Au moment où le secrétaire sortait de la pièce, lord Mayfield s'écria brusquement :

— Un instant, Carlile. Vous avez oublié le plus important.

— Pardon, lord Mayfield...

— Les plans du bombardier, voyons.

Le secrétaire le fixa, éberlué.

— Ils sont au-dessus de la pile, sir.

— Je ne vois rien de semblable.

— Mais je les ai mis là.

— Regardez vous-même, mon garçon.

Le jeune homme, complètement désorienté, rejoignit lord Mayfield. D'un geste impatient, le ministre indiqua la pile de papiers. Carlile les regarda un à un avec un étonnement croissant.

— Vous voyez bien que les plans n'y sont pas.

— Mais, bégaya le secrétaire, c'est incroyable. Je les ai posés là il n'y a pas trois minutes.

Lord Mayfield sourit avec condescendance.

— Vous avez dû vous tromper, ils sont encore dans le coffre...

— Impossible... Je suis sûr de les avoir mis là.

Lord Mayfield se dirigea vivement vers le coffre ouvert, sir George le rejoignit. Quelques minutes suffirent pour s'assurer que les plans du bombardier n'y étaient pas.

Stupéfaits et incrédules, les trois hommes retournèrent vérifier les papiers.

— Mon Dieu ! dit Mayfield. Ils ont disparu.

— Mais c'est impossible ! s'écria Carlile.

— Qui est entré dans cette pièce ? glapit le ministre.

— Personne, absolument personne.

— Ecoutez, Carlile, ces plans ne se sont pas évaporés

dans les airs. Quelqu'un les a pris. Mrs Vanderlyn est-elle venue ici ?

— Mrs Vanderlyn ? Oh ! non, sir.

— C'est certain, dit Carrington qui reniflait l'air. On sentirait son parfum si elle était entrée ici.

— Personne n'a pénétré dans ce bureau, affirma Carlile. Je ne comprends pas.

— Voyons, Carlile, dit lord Mayfield, reprenez votre sang-froid. Il faut aller au fond de cette histoire. Vous êtes absolument sûr que les plans étaient dans le coffre ?

— Absolument.

— Vous les avez vus ? Vous n'avez pas simplement supposé qu'ils se trouvaient parmi les autres papiers ?

— Non, lord Mayfield. Je les ai vus et je les ai placés en haut de la pile, sur le bureau.

— Et depuis, vous affirmez que personne n'est entré ici. Etes-vous sorti de la pièce ?

— Non... C'est-à-dire si...

— Ah ! s'écria sir George, nous y arrivons enfin.

Lord Mayfield s'était redressé.

— Que diable... commença-t-il, mais Carlile l'interrompit.

— En temps normal, lord Mayfield, je n'aurais, bien entendu, jamais eu l'idée de quitter une pièce où étaient étalés des documents importants, mais entendant un cri de femme...

— Un cri de femme ? répéta lord Mayfield surpris.

— Oui, lord Mayfield. Cela m'a bouleversé plus que je ne saurais le dire. Je posais précisément les papiers sur le bureau lorsque je l'ai entendu et, naturellement, je me suis précipité dans le hall.

— Qui a crié ?

— La femme de chambre française de Mrs Vanderlyn. Elle était debout au milieu de l'escalier, toute pâle, bouleversée et elle tremblait comme une feuille. Elle m'a dit avoir vu un fantôme.

— Un fantôme ?

— Oui, une grande femme vêtue de blanc qui se mouvait sans bruit et flottait dans l'air.

— Quelle histoire ridicule !

— Oui, lord Mayfield. C'est ce que je lui ai dit et je dois dire qu'elle m'a paru assez honteuse. Elle est montée au premier et je suis rentré ici.

— Combien de temps avez-vous été absent ?

Le secrétaire réfléchit.

— Deux minutes... trois au plus.

— Cela suffit ! grommela lord Mayfield.

Soudain, il saisit le bras de son ami.

— George, l'ombre que j'ai vu se glisser hors de cette fenêtre... C'est cela ! Dès que Carlile est sorti de la pièce, le voleur a bondi ici, saisi les plans et a filé avec.

— Une sale histoire, dit sir George. Ecoutez, Charles, c'est une affaire du tonnerre. Que diable allons-nous faire ?

CHAPITRE III

— De toute façon, permettez-lui d'essayer, Charles.

Ceci se passait une demi-heure plus tard. Les deux

hommes se trouvaient dans le bureau de lord Mayfield, et sir George avait déployé beaucoup d'éloquence pour inciter son ami à adopter une certaine suggestion.

Lord Mayfield, très réfractaire au premier abord, semblait peu à peu moins hostile à l'idée.

— Ne soyez donc pas si entêté, Charles, dit sir George.

— Pourquoi mêler à cette affaire un minable étranger dont nous ne savons absolument rien ?

— C'est ce qui vous trompe, je suis très renseigné. Cet homme est merveilleux.

— Hum !

— Ecoutez, Charles. C'est une chance ! La discrétion est essentielle dans cette affaire. Si elle transpire...

— *Quand* elle transpirera, c'est ce que vous vouliez dire.

— Pas nécessairement. Cet homme, Hercule Poirot...

— Arrivera ici et sortira les plans comme un magicien tire un lapin de son chapeau, je suppose ?

— Il découvrira la vérité et c'est la vérité que nous voulons. Ecoutez, Charles, je prends toute la responsabilité sur moi.

— Oh ! bien, agissez à votre guise, dit lord Mayfield, mais je ne vois pas ce que ce garçon pourra faire.

Sir George saisit le téléphone.

— Je vais l'appeler tout de suite.

— Il est sûrement couché.

— Il peut se lever. Que diable, Charles, vous ne pouvez pas laisser cette femme partir avec ?

— Vous faites allusion à Mrs Vanderlyn ?

— Oui. Vous ne doutez pas, j'imagine, qu'elle est à la base de tout ceci ?

— Certainement pas. Elle a renversé les rôles et s'est vengée sur moi. Il m'est désagréable de reconnaître qu'une femme a été plus habile que nous, George, et c'est à contrecœur que je le fais. Nous serons incapables de prouver quoi que ce soit contre elle, et pourtant nous savons tous deux qu'elle a été l'instigatrice de l'affaire.

— Les femmes sont de véritables démons, dit Carrington.

— Et nous n'avons absolument rien de précis pour la compromettre. Nous pouvons imaginer qu'elle a monté la comédie du cri poussé par sa femme de chambre et que l'homme que j'ai vu se faufiler dehors était son complice, mais le diable est qu'il est impossible de le prouver.

— Hercule Poirot y arrivera peut-être.

Lord Mayfield eut un brusque éclat de rire.

— Pardieu, George, je vous croyais bien trop « vieux John Bull » pour faire confiance à un Français, fût-il très intelligent.

— Il n'est même pas français, il est belge, dit sir George d'un air penaud.

— Eh bien ! faites venir votre Belge et laissons-le exercer ses talents sur cette affaire. Je parie qu'il ne la comprendra pas plus que nous.

Sans répondre, sir George décrocha le téléphone.

## CHAPITRE IV

Les yeux encore tout papillotants, Hercule Poirot considéra tour à tour les deux hommes en étouffant adroitement un bâillement.

Il était deux heures et demie du matin. Il avait été brusquement tiré d'un profond sommeil et s'était précipité à travers l'obscurité dans une grande Rolls Royce. Il venait d'écouter ce que les deux hommes avaient à lui dire.

— Ce sont les faits, monsieur Poirot, dit lord Mayfield.

Il s'adossa à son fauteuil, fixa son monocle à travers lequel il observa Poirot de son œil bleu très perspicace et manifestement sceptique. Poirot jeta un rapide regard à sir George Carrington.

Celui-ci se penchait en avant et son visage exprimait un espoir presque enfantin.

— Je connais les faits, c'est entendu, dit lentement Poirot. La femme de chambre crie, le secrétaire sort de la pièce ; le guetteur inconnu entre, les plans sont sur la pile de papiers posée sur le bureau, il les vole et se sauve. Les faits... sont tous très bien agencés.

Sa façon de prononcer la dernière phrase parut attirer l'attention de lord Mayfield. Il se redressa, son monocle tomba, on l'eût dit sur le qui-vive.

— Je vous demande pardon, monsieur Poirot ?

— J'ai dit, lord Mayfield, que les faits étaient très bien agencés... pour le voleur. A propos, vous êtes certain que c'est un homme que vous avez vu ?

Lord Mayfield hocha la tête.

— Je ne pourrais l'affirmer... Ce n'était qu'une ombre. En fait, je ne suis même pas sûr d'avoir vu quelqu'un.

Poirot se tourna vers le maréchal de l'Air.

— Et vous, sir George ? Pourriez-vous me dire qu'il s'agit d'un homme ou d'une femme ?

— Moi, je n'ai vu personne.

Poirot s'inclina d'un air pensif, puis, soudain, se relevant d'un bond, il se précipita vers le bureau.

— Je puis vous assurer que les plans n'y sont pas, dit lord Mayfield, nous avons tous trois examiné ces papiers des douzaines de fois.

— Tous trois ? Vous voulez dire que votre secrétaire les a maniés aussi ?

— Oui, mon secrétaire, Carlile.

Poirot se retourna.

— Pouvez-vous me dire, lord Mayfield, quel papier se trouvait au-dessus de la pile lorsque vous vous êtes approché du bureau ?

Mayfield, cherchant à réveiller sa mémoire, fronça les sourcils.

— Voyons... Oui, c'était un mémorandum sommaire de nos défenses aériennes.

Poirot saisit adroitement un document et le lui montra.

— Est-ce celui-ci, lord Mayfield ?

L'interpellé le prit et le regarda.

— Oui, c'est bien celui-ci.

Poirot le porta à Carrington.

— Avez-vous remarqué ce document sur le bureau ?

Sir George le prit et mit son lorgnon pour l'examiner.

— Oui, c'est exact. J'ai vérifié les documents avec Carlile et Mayfield, c'est bien celui-ci qui était sur la pile.

Poirot, hochant la tête d'un air pensif, remit le papier en place. Mayfield le regardait d'un air légèrement intrigué.

— Avez-vous une autre question... commença-t-il.

— Mais certainement, et c'est de Carlile qu'il s'agit.

Lord Mayfield rougit.

— Carlile, monsieur Poirot, est absolument hors de tout soupçon ! Il y a neuf ans que je l'emploie comme secrétaire particulier, il a accès à tous mes papiers personnels et je dois vous faire remarquer qu'il aurait pu calquer facilement les plans et copier les devis descriptifs à l'insu de tout le monde.

— J'apprécie votre façon de voir, dit Poirot. S'il avait été coupable, il n'aurait pas eu besoin de simuler un vol.

— De toute façon, je suis sûr de Carlile et me porte garant de son honnêteté, dit lord Mayfield.

— Carlile est un garçon très bien, grommela Carrington.

— Et cette Mrs Vanderlyn... elle ne vaut pas cher ?

— Certainement pas ! s'écria sir George. C'est une femme dangereuse.

Lord Mayfield ajouta d'un ton plus mesuré :

— Je crois, monsieur Poirot, que les... activités de Mrs Vanderlyn ne peuvent être mises en doute. Le

ministère des Affaires étrangères pourra vous donner
des renseignements plus précis sur elle.

— Et la femme de chambre ? La croyez-vous de
mèche avec sa maîtresse ?

— Sans aucun doute ! affirma sir George.

— Cela paraît être une hypothèse plausible, avança
plus prudemment lord Mayfield.

Il y eut un silence. Poirot soupira et arrangea dis-
traitement un ou deux objets sur la table.

— Si je comprends bien, ces papiers représentaient
de l'argent, et pouvaient être négociés pour une très
grosse somme ?

— Dans certains pays... oui.

— Tels que...

Sir George nomma deux puissances européennes.

— Cette possibilité devait être connue de tout le
monde, si je ne m'abuse, dit Poirot.

— Mrs Vanderlyn ne l'ignorait certainement pas.

— Mais j'ai dit *tout le monde ?*

— Je suppose que oui.

— N'importe qui, doué d'un minimum d'intelligence, aurait pu apprécier la valeur monétaire des
plans ?

— Oui, mais, monsieur Poirot...

Lord Mayfield paraissait assez gêné.

Poirot leva la main.

— Je ne fais qu' « explorer toutes les avenues »,
comme vous dites.

Il se leva, sortit par la porte-fenêtre et alla examiner
avec sa torche électrique la bande de pelouse située à
l'extrémité de la terrasse.

Les deux hommes le suivaient des yeux.

Il revint s'asseoir près d'eux.

— Dites-moi, lord Mayfield, ce malfaiteur furtif, vous ne l'avez donc pas poursuivi ?

Lord Mayfield haussa les épaules.

— Arrivé au bas du jardin, il pouvait s'enfuir sur la grande route et si une voiture l'attendait, il aurait été bientôt hors d'atteinte.

— Mais il y a la police... Les autos de patrouille...

Sir George l'interrompit.

— Vous oubliez, monsieur Poirot, que nous ne pouvons courir le risque d'une publicité intempestive. Si l'on apprenait que ces plans ont été volés, le résultat serait désastreux pour mon parti.

— Ah ! oui, dit Poirot. On ne doit pas perdre de vue la politique. La plus grande discrétion doit être observée. C'est pour cela que vous avez fait appel à moi. Eh bien ! cela simplifie peut-être les choses.

— Vous espérez réussir, monsieur Poirot ? demanda lord Mayfield d'un air légèrement incrédule.

Le petit homme haussa les épaules.

— Pourquoi pas ? On n'a qu'à raisonner... à réfléchir.

Il s'interrompit un instant et ajouta :

— Je désirerais maintenant parler à Mr Carlile.

— Certainement. (Lord Mayfield se leva.) Je lui ai demandé de veiller, il doit être à portée de la main.

Il sortit de la pièce. Poirot regarda sir George.

— Eh bien ! dit-il, parlons un peu de cet homme sur la terrasse.

— Mon cher monsieur Poirot, ne me le demandez pas ! Je ne l'ai pas vu et ne puis vous le décrire.

Poirot se pencha vers lui.

— C'est ce que vous m'avez déjà dit. Mais votre pensée est un peu différente, n'est-il pas vrai ?

— Que voulez-vous dire ? répliqua brusquement sir George.

— Comment vous l'exprimerai-je ? Votre incrédulité est plus profonde.

George ouvrit la bouche pour parler, mais s'arrêta court.

— Allons, voyons, dit Poirot d'un ton encourageant. Revivez la scène. Vous êtes tous deux au bout de la terrasse. Lord Mayfield voit une ombre se glisser hors de la fenêtre et traverser la pelouse. Pourquoi ne l'avez-vous pas vue ?

Carrington le fixa.

— Vous avez mis le doigt sur la plaie, monsieur Poirot. Cela n'a pas cessé de me tourmenter. Voyez-vous, je jurerais que personne n'est sorti par cette porte-fenêtre. J'ai pensé que Mayfield avait été le jouet de son imagination... Qu'il s'agissait d'une branche d'arbre secouée par le vent ou quelque chose de semblable. Puis, lorsque rentrés ici, nous nous sommes aperçus du vol, il semblait que Mayfield devait avoir raison et moi tort... et pourtant...

Poirot sourit.

— Pourtant, dans le tréfonds de vous-même, vous croyez encore au témoignage (témoignage négatif) de vos propres yeux ?

— Vous avez raison, monsieur Poirot, j'y crois.

Poirot sourit.

— Et comme vous êtes sage !

— Il n'y avait aucune empreinte de pas sur l'herbe, reprit sir George.

Poirot approuva du geste.

— Précisément. Lord Mayfield s'imagine avoir vu une ombre. Puis, lorsqu'il découvre le vol, il en est sûr,

sûr et certain. Ce n'est plus un rêve... Désormais, il *voit*
l'homme. Mais ce n'est pas vrai. En ce qui me concerne,
j'attache peu d'importance aux empreintes et autres
indices du même genre, mais nous avons cette preuve
négative, prenons-la pour ce qu'elle vaut. Il n'y avait
pas d'empreintes sur l'herbe ; or, il avait plu à torrents
ce soir, si un homme avait traversé la terrasse et foulé la
pelouse, ses pas auraient laissé des traces dans l'herbe
mouillée.

Sir George avait le regard fixe.

— Mais alors... Mais alors...

— Cela nous ramène à la maison, aux gens qui s'y
trouvaient...

Il s'interrompit comme la porte s'ouvrait. Lord Mayfield et Mr Carlile entrèrent.

Bien que toujours très pâle et soucieux, le secrétaire
avait repris son sang-froid. Il s'assit, ajusta son lorgnon
et regarda Poirot d'un air interrogateur.

— Depuis combien de temps étiez-vous dans cette
pièce lorsque vous avez entendu le cri, monsieur ?

Carlile réfléchit.

— Depuis cinq à dix minutes, je pense.

— Et avant cela, il n'y avait eu aucun trouble
d'aucune sorte ?

— Aucun.

— J'ai cru comprendre que les invités s'étaient tenus
dans une seule pièce pendant la plus grande partie de la
soirée.

— Oui, au salon.

Poirot consulta son carnet.

— Sir George Carrington et sa femme, Mrs Macatta,
Mrs Vanderlyn, Mr Reggie Carrington, lord Mayfield
et vous-même. Est-ce exact ?

— Je n'étais pas au salon, j'ai travaillé ici pendant la plus grande partie de la soirée.

Poirot se tourna vers lord Mayfield.

— Qui est monté se coucher en premier lieu ?

— Lady Julia Carrington, je crois. En fait, les trois femmes sont sorties ensemble.

— Et ensuite ?

— Mr Carlile arriva et je lui demandai de sortir les documents, car sir George et moi allions revenir les examiner dans quelques minutes.

— C'est alors que vous avez décidé d'aller faire un tour sur la terrasse ?

— Exactement.

— Avez-vous fait allusion en présence de Mrs Vanderlyn au fait que vous vous disposiez à travailler dans votre bureau ?

— Oui, nous en avons parlé pendant qu'elle était là.

— Mais elle n'était plus au salon lorsque vous avez prescrit à Mr Carlile de sortir les documents ?

— Non.

— Excusez-moi, lord Mayfield, dit Carlile. Immédiatement après que vous me l'aviez dit, je me suis heurté à Mrs Vanderlyn dans l'embrasure de la porte. Elle était revenue chercher un livre.

— De sorte qu'elle aurait pu entendre ?

— C'est très possible.

— Elle est revenue chercher un livre, répéta Poirot d'un ton rêveur, et l'a-t-elle trouvé, lord Mayfield ?

— Oui, Reggie le lui a donné.

— Ah ! oui, le vieux truc... Revenir chercher un livre, c'est souvent très utile.

— Vous pensez que c'était voulu ?

Poirot haussa les épaules.

— Et ensuite, messieurs, vous êtes sortis tous deux sur la terrasse. Qu'a fait Mrs Vanderlyn ?

— Elle est partie avec son livre.

— Et le jeune Reggie, est-il aussi monté se coucher ?

— Oui.

— Ensuite, Mr Carlile vient ici et, entre cinq et dix minutes après, il entend un cri. Continuez, Mr Carlile. Entendant ce cri, vous êtes sorti dans le hall... Il serait plus simple que vous mimiez exactement vos actes.

Mr Carlile, un peu gêné, se leva.

— Voilà, je crie, fit Poirot qui ouvrit la bouche et émit une sorte de bêlement strident.

Lord Mayfield tourna la tête pour dissimuler un sourire et Mr Carlile eut l'air extrêmement embarrassé.

— Allez-y ! En avant ! Marche ! s'écria Poirot. C'est la réplique que je viens de vous donner.

Mr Carlile se dirigea d'un pas rapide vers la porte, l'ouvrit et sortit. Poirot le suivait, les deux autres venaient derrière lui.

— Aviez-vous fermé la porte en sortant, ou l'aviez-vous laissée ouverte ?

— Je ne m'en souviens pas, j'ai dû la laisser ouverte.

— Peu importe. Continuez.

Mr Carlile, toujours raide comme un piquet, s'avança jusqu'au pied de l'escalier et y resta en regardant en haut.

— Vous avez dit que la femme de chambre se trouvait sur l'escalier. A quel endroit ?

— A peu près à mi-hauteur.

— Et elle avait l'air bouleversée ?

— Sans aucun doute.

— Eh bien ! je suis la femme de chambre, dit Poirot en gravissant les marches. C'est ici ?

— Un peu plus haut.

— Comme cela ? fit Poirot en prenant une attitude.

— Non... pas tout à fait comme cela.

— Alors comment ?

— Eh bien ! elle avait les deux mains sur sa tête.

— Ah ! les mains sur sa tête ! C'est très intéressant. Comme cela ?

Poirot, levant les bras, appuya les mains juste au-dessus de ses oreilles.

— Oui, c'est cela.

— Ah ! Ah ! Et dites-moi, Mr Carlile, c'est une jolie fille ?

— En vérité, je n'ai pas remarqué, répondit Mr Carlile d'un ton offusqué.

— Vraiment, vous n'avez pas remarqué ? Mais vous êtes jeune, un jeune homme ne s'aperçoit-il pas toujours qu'une fille est jolie ?

Carlile jeta un regard désespéré à son patron. Sir George eut un gloussement amusé.

— M. Poirot semble résolu à vous prendre pour un joyeux drille, Carlile, dit-il.

Le secrétaire lui jeta un regard courroucé.

— Mais moi, quand une fille est jolie, je le remarque toujours, déclara Poirot en descendant l'escalier.

Le silence avec lequel Mr Carlile accueillit le propos était teinté d'ironie.

— Et c'est alors qu'elle vous a raconté avoir vu un fantôme ? poursuivit Poirot.

— Oui.

— Avez-vous cru son histoire ?

— Pas beaucoup, monsieur Poirot.

— Je ne vous demande pas si vous croyez aux fantômes, mais si vous avez eu l'impression que la jeune fille pensait réellement avoir vu quelque chose ?

— Oh ! quant à cela, je ne saurais le dire. Sa respiration était haletante, elle semblait bouleversée.

— Vous n'avez ni vu ni entendu sa maîtresse ?

— Si, Mrs Vanderlyn est sortie de sa chambre, dans la galerie du dessus, et a appelé : « Léonie ! »

— Et alors ?

— La jeune fille a couru la rejoindre et je suis retourné dans le bureau.

— Pendant que vous étiez ici, au pied de l'escalier, quelqu'un aurait-il pu entrer dans le bureau par la porte que vous aviez laissé ouverte ?

Carlile fit un signe de dénégation.

— Pas sans passer devant moi, la porte du bureau est au bout du couloir, comme vous pouvez le constater.

Poirot hocha pensivement la tête. Mr Carlile poursuivit de sa voix précise, en choisissant ses mots :

— Je suis particulièrement heureux que lord Mayfield ait vu le voleur sortir par la porte-fenêtre, sans quoi je me trouverais dans une situation très fâcheuse.

— C'est absurde, mon cher Carlile ! s'écria lord Mayfield avec impatience, aucun soupçon ne pourrait se porter sur vous.

— Vous êtes très bon de me le dire, lord Mayfield, mais les faits sont les faits et je vois fort bien que je me trouve dans un mauvais cas. De toute façon, j'espère que mes objets personnels et moi-même seront fouillés.

— C'est ridicule, mon cher garçon, dit Mayfield.

— Le désirez-vous vraiment ? demanda Poirot.

— Je le préférerais de beaucoup.

Poirot l'observa longuement et murmura :

— Je vois... Où se trouve la chambre de Mrs Vanderlyn par rapport au bureau ?

— Directement au-dessus.

— Avec une fenêtre donnant sur la terrasse ?

— Oui.

Poirot hocha de nouveau la tête.

— Allons au salon, voulez-vous ? dit-il.

Il parcourut la pièce, examina la fermeture des fenêtres, jeta un coup d'œil sur les marques des carnets de bridge et finalement se tourna vers lord Mayfield.

— Cette affaire est plus compliquée qu'elle ne le paraît, lui-dit-il. Mais une chose est certaine, les plans volés ne sont pas sortis de la maison.

Lord Mayfield le regarda d'un air ébahi.

— Mais, mon cher monsieur Poirot, l'homme que j'ai vu sortir du bureau...

— Il n'a jamais existé.

— Mais je l'ai *vu*.

— Lord Mayfield, avec tout le respect que je vous dois, vous avez été le jouet d'une illusion. L'ombre projetée par une branche d'arbre a pu vous abuser, et le fait qu'un vol a été commis vous a paru une preuve de ce que vous imaginez avoir vu.

— En vérité, monsieur Poirot, le témoignage de mes propres yeux...

— Les miens valent mieux que les vôtres, je le prouverai quand vous voudrez, mon vieux, dit sir George.

— Permettez-moi d'être très catégorique sur ce

point, lord Mayfield. *Personne n'a traversé la terrasse
pour gagner la pelouse.*

Carlile était très pâle.

— En ce cas, si M. Poirot dit vrai, les soupçons se
portent automatiquement sur moi. Je suis la seule personne qui ait pu commettre ce vol.

Lord Mayfield bondit.

— C'est absurde ! Quoi que M. Poirot puisse penser,
je ne suis pas d'accord avec lui. Je suis convaincu de
votre innocence, mon cher Carlile ; en fait, je suis disposé à m'en porter garant.

Poirot fit un geste.

— Mais je n'ai pas dit que je soupçonnais Mr Carlile.

— Non, riposta celui-ci, mais vous avez fait comprendre clairement que personne d'autre n'aurait pu
commettre ce vol.

— *Du tout ! Du tout* (1) !

— Mais je vous ai dit que personne n'est passé
devant moi dans le vestibule pour entrer au bureau.

— D'accord. Mais quelqu'un aurait pu y entrer par
la porte-fenêtre.

— Par exemple ! C'est exactement ce que vous venez
de démontrer comme impossible.

— J'ai dit que personne venant de l'extérieur
n'aurait pu entrer ou sortir sans laisser des empreintes
sur l'herbe. Mais quelqu'un aurait pu le faire venant de
l'intérieur. Sortant par des portes-fenêtres du salon, par
exemple, il se serait glissé le long de la terrasse et aurait
pénétré dans le bureau par la porte-fenêtre ouverte, puis
il serait revenu par le même chemin.

(1) En français dans le texte.

— Mais, objecta Carlile, lord Mayfield et sir George Carrington étaient sur la terrasse.

— C'est exact, mais ils se promenaient d'un bout à l'autre. Les yeux de sir George peuvent être excellents, dit Poirot en le gratifiant d'un petit salut, mais il ne les a pas derrière la tête ! La fenêtre du bureau se trouve à l'extrémité gauche, et celles du salon viennent tout de suite après, mais la terrasse se prolonge devant trois ou quatre pièces au moins.

— La salle à manger, le billard, le petit salon et la bibliothèque, dit lord Mayfield.

— Et combien de fois avez-vous longé la terrasse d'un bout à l'autre ?

— Cinq ou six fois au moins.

— Vous voyez combien c'était facile, le voleur n'avait qu'à attendre le bon moment !

Il y eut un silence.

— Vous voulez dire que pendant que j'étais dans le hall en train de parler à la femme de chambre, le voleur attendait au salon ?

— Il s'agit là d'une simple suggestion, évidemment.

— Qui me paraît peu probable, dit lord Mayfield. C'eût été trop risqué.

Le maréchal de l'Air manifesta une autre opinion.

— Je ne suis pas d'accord avec vous, Charles. C'est très possible. Je me demande pourquoi je n'ai pas eu l'intelligence d'y penser moi-même.

— Vous comprenez maintenant pourquoi je suis persuadé que les plans se trouvent toujours dans la maison, dit Poirot. Le problème est de les retrouver.

Sir George ricana.

— C'est bien simple. Fouillez tout le monde.

Lord Mayfield fit un geste d'opposition, mais Poirot reprit la parole avant lui.

— Non, non, ce n'est pas si simple que cela. La personne qui a pris ces plans a dû prévoir qu'il y aurait une perquisition et s'assurer qu'on ne les découvrirait pas dans ses affaires. Ils doivent se trouver en terrain neutre.

— Allons-nous être obligés de jouer à cache-cache dans toute la maison ?

Poirot sourit.

— Non, non, inutile d'employer une méthode aussi fruste. Nous pouvons arriver à découvrir la cachette — ou la personne coupable — en réfléchissant. Cela simplifiera les choses. Demain matin, je me propose d'interroger toutes les personnes de la maison, il serait inconsidéré, je crois, de commencer ces entretiens maintenant.

Lord Mayfield l'approuva.

— Oui. Si nous les tirions tous de leur lit à trois heures du matin, cela provoquerait trop de commentaires. En tout cas, il faudra procéder avec beaucoup de circonspection et déguiser votre but, monsieur Poirot. Cette affaire ne doit pas transpirer.

Poirot eut un geste désinvolte.

— Faites confiance à Hercule Poirot. Les mensonges que j'invente sont toujours très fins et tout à fait convaincants. Je continuerai donc demain mes investigations. Mais je désirerais commencer ce soir en vous interrogeant, sir George, et vous aussi, lord Mayfield.

Tous deux s'inclinèrent.

— Vous voulez dire... seuls ?

— C'était mon intention.

Lord Mayfield haussa légèrement les sourcils.

— Entendu, dit-il. Je vous laisse avec sir George. Lorsque vous aurez besoin de moi, vous me trouverez dans mon bureau. Venez, Carlile.

Il sortit avec le secrétaire et la porte se referma derrière eux.

Sir George s'assit, alluma machinalement une cigarette et regarda Poirot d'un air perplexe.

— Ecoutez, dit-il lentement, cette histoire me dépasse.

— Elle est pourtant facilement explicable, dit Poirot en souriant. En deux mots, pour être précis : une femme !

— Oh ! fit Carrington. Je crois comprendre. Mrs Vanderlyn ?

— Exactement. Il aurait pu être indiscret d'adresser à lord Mayfield la question que je désire poser. Pourquoi Mrs Vanderlyn ? Cette femme a une réputation assez louche. Alors pourquoi se trouve-t-elle ici ? Je me suis dit qu'il existait trois explications : primo, lord Mayfield aurait un *penchant* (1) pour elle (et c'est la raison pour laquelle j'ai désiré vous voir seul, car je ne veux pas le gêner) ; secundo, Mrs Vanderlyn est peut-être l'amie d'une autre personne de la maison ?

— Vous pouvez m'éliminer ! dit sir George en souriant.

— Alors, si aucune de ces deux suppositions n'est vraie, la question se pose doublement. *Pourquoi Mrs Vanderlyn ?* Il me semble que j'entrevois l'ombre d'une réponse. Il y a une raison : sa présence dans les circonstances actuelles a été voulue par lord Mayfield pour quelque secret dessein. Est-ce exact ?

(1) En français dans le texte.

— Vous avez deviné juste, dit sir George. Mayfield est trop averti pour être dupe de ses artifices. Il désirait sa présence pour un motif tout différent, que je vais vous exposer.

Il lui rapporta la conversation qu'ils avaient eue après dîner dans la salle à manger.

— Ah ! fit Poirot qui l'avait écouté attentivement. Je comprends maintenant. Il me semble néanmoins que l'astucieuse dame a renversé les rôles assez habilement !

Sir George jura sans vergogne sous l'œil amusé de Poirot.

— Vous ne doutez pas que ce vol soit son œuvre... C'est-à-dire qu'elle en est responsable, eût-elle joué ou non un rôle actif dans l'affaire ?

Sir George sursauta.

— Evidemment non ! Cela ne fait pas le moindre doute. Qui d'autre aurait pu avoir intérêt à voler ces plans ?

— Ah ! fit Poirot en levant les yeux au plafond, et pourtant, sir George, nous sommes convenus, il n'y a pas un quart d'heure, que ces plans représentaient une petite fortune. Peut-être pas sous une forme aussi tape-à-l'œil que les billets de banque, l'or ou les bijoux, mais ils sont néanmoins de l'argent en puissance. Savez-vous si quelqu'un ici se trouve dans la gêne ?

Sir George haussa les épaules.

— Qui ne l'est pas par le temps qui court ? Je suppose pouvoir l'avouer sans m'incriminer personnellement ?

Il sourit. Poirot, après lui avoir souri poliment en retour, ajouta :

— Certainement, vous pouvez dire tout ce que vous

voulez, car vous possédez le seul alibi inattaquable dans cette affaire.

— Mais je suis diablement à court d'argent !

— Oui, fit Poirot, un homme dans votre situation a forcément de gros frais, et votre jeune fils est à l'âge le plus dispendieux...

Sir George grommela.

— Il est assez mal élevé et a même fait des dettes. Mais, notez-le bien, ce n'est pas un mauvais garçon.

Poirot l'écoutait avec sympathie. Il prêta une oreille complaisante aux doléances du maréchal de l'Air, sur le manque de cran et de caractère de la jeune génération, sur l'incroyable faiblesse des mères qui gâtaient leurs enfants, les défendaient toujours, sur la maudite passion du jeu qui s'était emparée des femmes et leur folie de risquer des sommes trop élevées pour leurs moyens. C'était dit dans un sens général, sir George ne faisait pas directement allusion à sa femme et à son fils, mais il était facile de percer à jour ses soucis familiaux.

Il s'arrêta brusquement.

— Excusez-moi, j'abuse de votre temps avec des considérations tout à fait hors du sujet, surtout à cette heure de la nuit... ou plutôt du matin.

Il étouffa un bâillement.

— Vous devriez aller vous coucher, sir George, vous m'avez été d'un grand secours.

— Entendu, je vais monter. Croyez-vous qu'il y ait une chance de récupérer les plans ?

Poirot haussa les épaules.

— Je vais essayer et ne vois pas pourquoi je n'y arriverais pas.

— Eh bien ! bonsoir !

Il sortit de la pièce. Poirot, après avoir longuement médité, tira son petit carnet de sa poche et écrivit.

*Mrs Vanderlyn ?*
*Lady Julia Carrington ?*
*Mrs Macatta ?*
*Reggie Carrington ?*
*Mr Carlile ?*

Et, en dessous :

*Mrs Vanderlyn et Reggie Carrington ?*
*Mrs Vanderlyn et lady Julia ?*
*Mrs Vanderlyn et Mr Carlile ?*

Il secoua la tête d'un air mécontent et murmura :
— *C'est plus simple que cela* (1).
Et il ajouta ces courtes phrases :

*Lord Mayfield a-t-il vu une ombre ? Sinon pourquoi a-t-il déclaré l'avoir vue ? Sir George a-t-il aperçu quelque chose ? Il a affirmé n'avoir rien vu après mon examen de la plate-bande. NOTE : lord Mayfield est myope, il peut lire sans lunettes, mais a besoin d'un monocle pour voir de loin. Sir George est presbyte, par conséquent, de l'extrémité de la terrasse, on peut se fier davantage à sa vue qu'à celle de lord Mayfield, et cependant ce dernier affirme avoir vu quelque chose et n'est nullement ébranlé par la dénégation de son ami.*
*Mr Carlile est-il tellement au-dessus de tout soupçon qu'il le paraît ? Lord Mayfield se dit certain de son*

(1) En français dans le texte.

*innocence... trop certain. Pourquoi ? Parce qu'il le sus-*
*pecte secrètement et en a honte ? Ou parce qu'il soup-*
*çonne réellement une autre personne, c'est-à-dire une*
*personne autre que Mrs Vanderlyn ?*

Il ferma son carnet et se rendit dans le bureau de
lord Mayfield.

## CHAPITRE V

Lord Mayfield, qui écrivait, posa son stylo à l'entrée
de Poirot et le regarda d'un air interrogateur.

— Eh bien ! monsieur Poirot, vous avez eu un entretien avec Carrington ?

Poirot s'assit et sourit.

— Oui, lord Mayfield, et il a éclairci une question
qui m'intriguait.

— Quelle question ?

— Celle de la présence de Mrs Vanderlyn ici. Vous
comprenez, je supposais possible...

Mayfield comprit la raison de l'embarras quelque peu
exagéré de Poirot.

— Vous supposiez que j'avais un faible pour la
dame ? Pas le moindre ! Et ce qu'il y a de comique est
que Carrington avait la même idée.

— Oui, il m'a rapporté la conversation que vous
aviez eue à ce sujet.

Lord Mayfield soupira.

— Ma petite machination n'a pas réussi. Il est toujours ennuyeux d'admettre qu'une femme vous a roulé.

— Ah ! mais tout n'est pas terminé !

— Vous pensez encore pouvoir gagner ? Je suis heureux de vous l'entendre dire et voudrais y croire. (Il soupira.) J'ai agi comme un imbécile... J'étais si content de mon stratagème pour prendre cette femme au piège !

Hercule Poirot alluma une de ses minuscules cigarettes.

— Et en quoi consistait exactement votre stratagème, lord Mayfield ?

L'interpellé eut une hésitation.

— Je n'avais pas encore prévu tous les détails.

— Vous n'en aviez parlé à personne ?

— Non.

— Pas même à Mr Carlile ?

— Non.

Poirot sourit.

— Vous préférez agir seul, lord Mayfield.

— L'expérience m'a montré que c'est le meilleur moyen.

— Oui, vous avez raison, il ne faut se fier à personne. Vous en aviez pourtant parlé à sir George Carrington ?

— Uniquement parce que j'ai compris que le cher garçon était sérieusement inquiet à mon sujet.

Ce souvenir fit sourire lord Mayfield.

— C'est un de vos vieux amis ?

— Oui, nous nous connaissons depuis plus de vingt ans.

— Et sa femme ?

— J'ai connu sa femme aussi, naturellement.

— Mais — excusez-moi si je suis impertinent — vous n'êtes pas au même degré d'intimité avec elle ?

— Je ne vois pas en quoi mes relations personnelles peuvent concerner notre affaire, monsieur Poirot.

— Je crois, au contraire, qu'elles peuvent avoir une grande importance, lord Mayfield. Vous avez admis que mon hypothèse d'une personne guettant au salon le moment propice était plausible ?

— Oui, je suis tombé d'accord avec vous pour dire que cela devait s'être produit.

— Ne soyons pas aussi affirmatifs. Mais dans cette éventualité quelle serait, selon vous, la personne, qui pouvait être au salon ?

— Mrs Vanderlyn, évidemment. Elle était revenue ici chercher un livre, elle aurait très bien pu, sous un de ces nombreux prétextes féminins : livre, sac ou mouchoir oublié, descendre une seconde fois. Elle avait dû s'arranger avec sa femme de chambre pour que celle-ci poussât un hurlement afin d'attirer Carlile hors du bureau. Elle est alors entrée et sortie furtivement par les portes-fenêtres, comme vous l'avez dit.

— Vous oubliez que ce ne pouvait être Mrs Vanderlyn. Carlile l'a entendue appeler la femme de chambre *du premier étage* pendant qu'il parlait à la jeune domestique.

Lord Mayfield se mordit la lèvre.

— C'est vrai, je l'avais oublié, dit-il d'un air fort ennuyé.

— Remarquez, fit doucement Poirot, que nous progressons. Nous avons eu d'abord la simple explication d'un voleur venant de l'extérieur qui se serait enfui avec son butin. Hypothèse trop commode pour être acceptée sans examen. Nous l'avons rejetée. Puis nous en sommes venus à celle de l'agent étranger. Mrs Vanderlyn, et celle-ci, de nouveau, semble s'adapter merveilleusement jusqu'à un certain point. Mais, actuellement, il semble que cette hypothèse soit également trop facile... trop simple pour être acceptée.

— Vous écartez complètement Mrs Vanderlyn de l'affaire ?

— Ce n'était pas elle qui se trouvait au salon. Peut-être est-ce un complice de Mrs Vanderlyn qui a commis le vol, mais il est également possible que celui-ci soit l'œuvre d'une toute autre personne. Si tel est le cas, nous devons considérer la question du mobile.

— N'est-ce pas aller chercher bien loin, monsieur Poirot ?

— Je ne le crois pas. Envisageons les différents mobiles qui ont pu se présenter... Il y a l'appât du gain, les papiers ont pu être volés pour en tirer profit. C'est le mobile le plus simple, mais il peut en exister de tout différents.

— Par exemple...

— Ce vol, dit lentement Poirot, a pu être commis dans le dessein de porter tort à quelqu'un.

— A qui ?

— Peut-être à Mr Carlile, qui serait inévitablement suspect. Mais cela peut aller plus loin : les hommes qui dirigent la destinée d'un pays, lord Mayfield, sont particulièrement vulnérables au point de vue de l'opinion publique.

— Ce qui veut dire que le vol aurait eu pour but de me nuire ?

Poirot inclina la tête.

— Je crois ne pas me tromper, lord Mayfield, en rappelant que vous avez traversé une période difficile il y a cinq ans. Vous étiez suspect d'intelligence avec une puissance européenne fort impopulaire en ce temps-là parmi les électeurs de ce pays.

— C'est exact, monsieur Poirot.

— La tâche d'un homme d'Etat, à notre époque, est particulièrement ardue, il doit poursuivre la politique qu'il juge avantageuse pour son pays, tout en tenant compte de la force du sentiment populaire. Or, l'opinion populaire est toujours super-sensible, confuse, et trop souvent erronée, mais on ne peut pas en faire abstraction pour autant.

— Comme vous décrivez bien ce qui est le fléau de la vie du politicien ! Il doit s'incliner devant l'opinion publique tout en sachant combien elle est parfois dangereuse et téméraire.

— Ce fut votre dilemme, je crois. Le bruit courait que vous aviez conclu un accord avec la nation en question. Le pays et la presse entière étaient dressés contre vous. Heureusement, le Premier Ministre put démentir catégoriquement la rumeur, que vous désavouâtes, vous-même, tout en ne dissimulant pas de quel côté se portaient vos sympathies.

— Tout ceci est vrai, monsieur Poirot ; mais pourquoi rappeler cette vieille histoire ?

— Parce que je considère la possibilité d'un ennemi qui, désappointé par la façon dont vous avez pu surmonter cette crise, a pu entreprendre de vous placer devant un nouveau dilemme. Vous aviez très vite reconquis la confiance de l'opinion, vous êtes maintenant, à juste titre, une des figures les plus populaires du monde politique. On parle de vous comme futur Premier Ministre lorsque Mr Hunberly prendra sa retraite.

— Vous pensez que c'est une tentative pour me discréditer ? C'est absurde.

— *Tout de même* (1), lord Mayfield, si l'on apprenait que les plans du nouveau bombardier britannique ont été volés lors d'un week-end pendant lequel une certaine femme connue pour son charme dangereux séjournait chez vous, cela ferait mauvais effet. Quelques allusions perfides des journaux à vos relations avec la dame en question créeraient un sentiment de méfiance envers vous.

— De telles allusions ne pourraient être prises au sérieux.

— Mon cher lord Mayfield, vous savez très bien que si. Il faut très peu de chose pour ébranler la confiance du public.

— C'est vrai, dit lord Mayfield, qui parut brusquement très soucieux. Mon Dieu ! Comme cette affaire devient compliquée ! Croyez-vous réellement... Mais c'est impossible... Impossible...

— Vous ne connaissez personne qui vous jalouse ?

— C'est absurde.

— En tout cas, vous admettrez que mes questions concernant vos relations personnelles avec les invités séjournant chez vous n'ont pas manqué d'à-propos ?

— Oui, peut-être. Vous m'avez interrogé sur Julia Carrington, il n'y a pas grand-chose à dire. Je n'ai jamais éprouvé beaucoup de sympathie pour elle et je crois que c'est réciproque. C'est une de ces femmes nerveuses, agitées, imprudemment extravagantes et joueuses enragées. Elle est assez vieux jeu, je crois, et

(1) En français dans le texte.

méprise en moi l'homme arrivé par ses propres moyens.

Poirot eut un petit geste entendu.

— J'ai cherché votre nom dans le *Who's Who* (1) avant de venir. Vous étiez chef d'une célèbre entreprise de constructions mécaniques, étant vous-même ingénieur de première classe.

— Je n'ignore certainement rien au point de vue pratique dans cet ordre d'idées, car j'ai franchi tous les échelons en commençant par la base.

Lord Mayfield avait parlé d'un ton assez dur.

— Oh ! là, là ! s'écria soudain Poirot. Ce que j'ai été bête... Quel imbécile !

L'autre le regarda, éberlué.

— Qu'est-ce qui vous prend, monsieur Poirot ?

— Une partie de l'énigme est subitement devenue claire pour moi. J'avais négligé un point de vue... mais tout s'accorde maintenant avec une merveilleuse précision.

Lord Mayfield, visiblement étonné, le regardait d'un air interrogateur, mais Poirot secoua la tête en souriant.

— Non, non, pas maintenant. Il faut que je rassemble mes idées un peu plus nettement. (Il se leva.) Bonsoir, lord Mayfield. Je crois savoir où se trouvent les plans.

— Vous le savez ? s'écria lord Mayfield. Alors reprenons-les immédiatement.

Poirot leva la main.

— Non, non, cela serait désastreux, toute précipitation pourrait être fatale. Laissez faire Hercule Poirot.

(1) Bottin mondain.

Il sortit de la pièce. Lord Mayfield haussa les épaules avec mépris.

— Cet homme est un faiseur, un charlatan, murmura-t-il.

Puis, après avoir rangé les papiers et éteint la lumière, il monta aussi se coucher.

## CHAPITRE VI

— S'il y a eu vol, pourquoi diable le vieux Mayfield n'appelle-t-il pas la police ? demanda Reggie Carrington.

Il éloigna légèrement sa chaise de la table. Reggie avait été le dernier à descendre. Son hôte, Mrs Macatta et sir George avaient terminé leur petit déjeuner depuis un certain temps. Sa mère et Mrs Vanderlyn le prenaient au lit.

Sir George, en exposant la situation selon les directives convenues entre lord Mayfield et Hercule Poirot avait l'impression que ce dernier ne manœuvrait pas aussi bien qu'il aurait pu le faire.

— Le fait d'avoir fait appel à ce drôle de petit étranger me semble tout à fait bizarre, dit Reggie. Qu'est-ce qu'on a dérobé, papa ?

— Je ne le sais pas exactement, petit.

Reggie se leva, il semblait anormalement nerveux ce matin.

— Rien... d'important ? Pas de papiers... ou autres choses de ce genre ?

— A la vérité, Reggie, je ne peux pas te le dire.

— Ah ! C'est très secret, n'est-ce pas ? Je comprends.

Reggie se précipita vers l'escalier, arrivé à mi-étage, il s'arrêta un instant en fronçant les sourcils, puis il continua son ascension et alla frapper à la porte de sa mère.

Lady Julia, assise dans son lit, écrivait des chiffres sur le dos d'une enveloppe.

— Bonjour, mon chéri.

Elle leva les yeux sur lui et s'écria :

— Reggie, qu'est-ce qu'il y a ?

— Rien de grave, mais il y a eu un vol, paraît-il, la nuit dernière.

— Un vol ? Qu'est-ce qu'on a pris ?

— Oh ! je n'en sais rien. C'est très mystérieux, il y a une sorte de détective privé en bas qui questionne tout le monde.

— C'est bien extraordinaire !

— Il est fort désagréable, dit lentement Reggie, de se trouver dans une maison où une chose de ce genre se produit.

— Qu'est-ce qui s'est produit exactement ?

— Je l'ignore. Cela s'est passé après que nous étions montés nous coucher... Laissez-moi vous débarrasser, maman.

Il transporta le plateau du déjeuner sur une petite table près de la fenêtre.

— A-t-on pris de l'argent ?

— Je vous ai dit que je n'en savais rien.

— Je suppose, dit lentement lady Julia, que cet enquêteur interroge tout le monde ?

— C'est probable.

— Il doit demander où chacun se trouvait la nuit dernière, et autres choses de ce genre ?

— Probablement. Je ne pourrai pas le renseigner beaucoup, car je suis allé me coucher directement et j'ai dormi d'un trait jusqu'à ce matin.

Lady Julia ne répondit pas.

— Dites, maman, vous ne pourriez pas me donner un peu d'argent ? Je suis complètement fauché.

— Impossible, répondit catégoriquement sa mère, je suis moi-même dans une situation impossible, et je ne sais pas ce que ton père va dire quand il connaîtra mon découvert.

On frappa à la porte, sir George entra.

— Ah ! te voilà, Reggie. Descends à la bibliothèque. M. Hercule Poirot veut te voir.

Poirot venait de terminer un entretien avec la redoutable Mrs Macatta. Quelques brèves questions avaient permis de savoir que Mrs Macatta était allée se coucher avant onze heures et n'avait rien vu ni entendu d'intéressant.

Poirot, glissant adroitement à des sujets plus personnels que le vol, parla de sa grande admiration pour lord Mayfield, ajoutant que Mrs Macatta, de par sa situation, était beaucoup plus à même que lui de l'estimer à sa propre valeur.

— Lord Mayfield est très intelligent, reconnut Mrs Macatta, et il a gravi tous les échelons de sa carrière par son propre mérite. Il ne doit rien à des influences héréditaires. Peut-être manque-t-il un peu d'imagination, les hommes, à mon avis, en sont tristement dépourvus. Ils n'ont pas la fougueuse imagination des femmes. Dans dix ans, monsieur Poirot, les femmes seront la grande force du gouvernement.

Poirot déclara en être certain.

Il orienta la conversation sur Mrs Vanderlyn. Etait-il vrai, comme il l'avait entendu dire, que lord Mayfield et elle étaient amis intimes ?

— Pas le moins du monde. A la vérité, j'ai été surprise de la trouver ici, fort surprise même.

Poirot, cherchant à avoir l'opinion de Mrs Macatta sur la dame en question, l'obtint :

— C'est une de ces femmes absolument inutiles, monsieur Poirot, de celles qui font le désespoir de notre sexe ! Une parasite, rien d'autre qu'une parasite.

— Les hommes l'admirent ?

— Les hommes ! fit d'un ton méprisant Mrs Macatta, les hommes sont toujours pris par son indiscutable beauté. Ce garçon, le jeune Reggie Carrington, piquait un fard chaque fois qu'elle lui adressait la parole et se sentait ridiculement orgueilleux d'attirer son attention. Et de quelle façon absurde elle le flattait en louant son talent de bridgeur, bien qu'il fût loin d'être brillant.

— Il n'est pas bon joueur ?

— Il a commis d'innombrables fautes hier soir.

— Lady Julia est une joueuse experte, je crois ?

— Beaucoup trop bonne à mon avis, dit Mrs Macatta. Elle en fait presque un métier et joue matin, après-midi et soir.

— A un taux élevé ?

— Oui, beaucoup plus élevé que je ne voudrais me le permettre. En vérité, je ne trouve pas cela correct.

— Elle gagne sans doute beaucoup au jeu ?

Mrs Macatta eut un ricanement sonore.

— Elle compte payer ses dettes de cette façon, mais elle a eu une série de déveine dernièrement, m'a-t-on dit, et hier soir elle paraissait très soucieuse. La passion du jeu, monsieur Poirot, est à peine moins grave que celle de la boisson. Si je pouvais agir à ma guise, ce pays serait purifié !

Poirot fut obligé d'écourter une interminable homélie sur la purification des mœurs en Angleterre avant de clore habilement la discussion et d'envoyer chercher Reggie Carrington.

Il observa d'un coup d'œil le jeune homme à son entrée, remarquant la mollesse de la bouche dissimulée sous un charmant sourire, le menton indécis, les yeux trop écartés et le crâne assez étroit. Il connaissait ce type d'homme.

— Mr Reggie Carrington ?

— Oui. Que désirez-vous de moi ?

— Dites-moi simplement tout ce que vous savez de la nuit dernière.

— Voyons... Nous avons joué au bridge au salon, après quoi je suis monté me coucher.

— A quelle heure ?

— Juste avant onze heures. Je suppose que le vol a eu lieu après ?

— Oui. Vous n'avez rien vu ni entendu ?

Reggie secoua la tête.

— Malheureusement non. Je suis allé me coucher directement et ai dormi comme une souche.

— Vous êtes allé directement du salon dans votre chambre, où vous êtes resté jusqu'à ce matin ?

— Exactement.

— C'est curieux, dit Poirot.

— Qu'est-ce qui est curieux ? fit vivement Reggie.

— Vous n'auriez pas entendu un cri, par exemple ?

— Non.

— Ah ! c'est très curieux.

— Ecoutez, je ne sais pas où vous voulez en venir.

— Peut-être êtes-vous légèrement dur d'oreille ?

— Certainement pas.

Les lèvres de Poirot remuèrent comme s'il prononçait à nouveau le mot « curieux ».

— Eh bien ! dit-il, je vous remercie, Mr Carrington, j'en ai terminé.

Reggie se leva et parut hésiter un instant.

— Ecoutez, dit-il, maintenant que vous y avez fait allusion, je crois, en effet, avoir entendu quelque chose de ce genre.

— Ah ! vous avez entendu quelque chose ?

— Oui, mais, vous comprenez, je lisais un livre — un roman policier — et je ne me suis pas véritablement rendu compte...

— Ah ! fit Poirot, voilà une explication des plus satisfaisantes.

Son visage était tout à fait impassible.

Reggie hésita encore, puis il se dirigea lentement vers la porte et se retourna soudain.

— Dites, qu'a-t-on volé ?

— Une chose de grande valeur, Mr Carrington. C'est tout ce que je suis autorisé à vous dire.

— Oh ! fit Reggie assez déconcerté.

Il sortit.

— Tout cela cadre, murmura Hercule Poirot. Cela cadre même très bien.

Il sonna et s'informa poliment si Mrs Vanderlyn était déjà levée.

## CHAPITRE VII

Mrs Vanderlyn pénétra dans la pièce d'un air majestueux. Elle était très belle, vêtue d'un élégant costume de sport dont la teinte feuille morte faisait ressortir les reflets cuivrés de sa chevelure. Elle prit un siège et gratifia le petit homme assis devant elle d'un éblouissant sourire et, pendant un instant, une expression curieuse filtra à travers ce sourire, cela pouvait tenir du triomphe, presque de la moquerie ; l'expression disparut aussitôt, mais Poirot l'avait trouvée intéressante.

— Des cambrioleurs ? La nuit dernière ? C'est épouvantable ! Mais non ; je n'ai absolument rien entendu. Et la police ? Ne peut-elle rien faire ?

L'expression moqueuse parut à nouveau un court instant dans son regard.

« Il est clair que vous ne craignez pas la police, ma belle dame, pensa Poirot. Vous savez très bien que l'on ne peut pas lui faire appel. »

— Vous comprenez, madame, répondit-il, que cette affaire exige la plus grande discrétion.

— Mais, naturellement, monsieur... Poirot, je crois ? Jamais je ne m'aviserais d'en souffler mot. J'admire beaucoup trop le cher lord Mayfield pour faire quoi que ce soit de nature à lui causer le plus léger ennui.

Elle croisa ses jambes et une mule de cuir fauve dansa au bout de son petit pied gainé de soie. Elle sourit, sourire irrésistible indiquant une parfaite santé et une intense satisfaction.

— Dites-moi vite si je puis faire quelque chose pour vous aider ?

— Merci, madame. Vous avez joué au bridge hier soir ?

— Oui.

— Et, si j'ai bien compris, toutes les dames sont montées se coucher en même temps ?

— C'est exact.

— Mais l'une d'elles est revenue chercher un livre. C'était vous, n'est-ce pas, Mrs Vanderlyn ?

— Oui, c'est moi qui suis redescendue la première.

— Que voulez-vous dire par la première ? demanda vivement Poirot.

— Je suis remontée aussitôt, expliqua Mrs Vanderlyn, puis je sonnai ma femme de chambre. Comme elle ne venait pas, je sonnai de nouveau et sortis sur le palier. J'entendis sa voix et l'appelai. Lorsqu'elle m'eut brossé les cheveux, je la renvoyai, elle était nerveuse, agitée et avait laissé échapper la brosse plusieurs fois. C'est au moment où elle sortait de ma chambre que j'aperçus lady Julia montant l'escalier, celle-ci me dit qu'elle était aussi descendue chercher un livre. C'est curieux, n'est-ce pas ?

Mrs Vanderlyn termina sa phrase sur un large sourire assez perfide. Hercule Poirot se dit que Mrs Vanderlyn ne devait pas aimer lady Julia.

— En effet, madame. Mais, dites-moi, n'auriez-vous pas entendu votre femme de chambre crier ?

— Mais si, j'ai entendu quelque chose de ce genre.

— L'avez-vous interrogée à ce sujet ?

— Oui, elle m'a dit avoir cru voir une sorte de fantôme vêtu de blanc flotter dans les airs. Quelle absurdité !

— Comment lady Julia était-elle vêtue hier soir ?

— Oh ! vous croyez ? Oui, je comprends. Elle portait une robe du soir toute blanche. Cela explique tout. Cette petite sotte a dû l'apercevoir dans l'obscurité comme une simple silhouette blanche. Ces filles sont si superstitieuses !

— Cette domestique est-elle à votre service depuis longtemps, madame ?

— Oh ! non, fit Mrs Vanderlyn en ouvrant de grands yeux. Seulement depuis environ cinq mois.

— J'aimerais lui parler, si vous n'y voyez pas d'inconvénient.

Mrs Vanderlyn haussa les sourcils.

— Je n'en vois aucun, dit-elle froidement.

— Je désire l'interroger, vous comprenez ?

La lueur amusée parut de nouveau. Poirot se leva et la salua.

— Madame, lui dit-il, vous forcez mon admiration la plus complète.

Pour la première fois, Mrs Vanderlyn parut décontenancée.

— C'est très aimable, monsieur Poirot. Mais pourquoi ?

— Parce que vous êtes si parfaitement armée et tellement sûre de vous.

Mrs Vanderlyn eut un rire gêné.

— Dois-je prendre cela pour un compliment ? dit-elle.

— C'est peut-être un avertissement... de ne pas traiter la vie avec trop d'arrogance.

Mrs Vanderlyn rit avec plus d'assurance et lui tendit la main.

— Cher monsieur Poirot, je vous souhaite tous les

succès, merci des choses charmantes que vous m'avez dites.

Elle sortit.

« Vous me souhaitez le succès, mais vous êtes sûre que je ne l'obtiendrai pas, songea Poirot. Vous en êtes très certaine en vérité et cela m'ennuie beaucoup. »

Il tira la sonnette avec une certaine vivacité et demanda qu'on lui envoie Léonie.

Il l'observa d'un air appréciateur lorsqu'elle parut sur le seuil, modeste dans sa robe noire, les cheveux soigneusement lissés, les yeux chastement baissés.

— Entrez, mademoiselle Léonie. N'ayez pas peur.

Elle s'avança toute craintive.

— Savez-vous, dit Poirot changeant soudain de ton, que je vous trouve très agréable à regarder ?

Léonie réagit aussitôt et lui lança une œillade en murmurant :

— Monsieur est bien bon.

— Imaginez-vous, dit-il, que j'ai demandé à Mr Carlile si vous étiez jolie fille et il m'a répondu n'en rien savoir.

Léonie releva le menton d'un air méprisant.

— Cette statue !

— Cela le décrit très bien.

— Je ne crois pas qu'il ait jamais regardé une fille de sa vie, celui-là.

— Probablement pas. Dommage, il a beaucoup perdu. Mais il y a, dans cette maison, d'autres personnes plus sensibles à la beauté, n'est-il pas vrai ?

— Je ne comprends pas ce que monsieur veut dire ?

— Mais si, mademoiselle Léonie, vous comprenez fort bien. C'est une jolie fable que vous avez imaginée la nuit dernière, à propos du fantôme que vous aviez vu. Dès que j'ai entendu dire que vous étiez debout, les deux mains sur la tête, j'ai compris que le fantôme était pure invention. Une jeune fille effrayée porte les mains à son cœur ou sur sa bouche pour étouffer un cri, mais si ses mains sont sur ses cheveux, cela signifie tout autre chose. *Cela veut dire que ses cheveux ayant été ébouriffés, elle les lissait vivement !...* Et maintenant, mademoiselle, dites-moi la vérité. Pourquoi avez-vous crié sur l'escalier ?

— Mais, monsieur, j'ai réellement vu une grande silhouette en blanc.

— Mademoiselle, ne mésestimez pas mon intelligence. Cette histoire peut prendre avec Mr Carlile, mais pas avec Hercule Poirot. La vérité est qu'on venait de vous embrasser, n'est-ce pas ? Et je devine que ce baiser vous a été donné par Reggie Carrington.

Léonie le regarda d'un air malicieux.

— Eh bien ! dit-elle, après tout, qu'est-ce qu'un baiser ?

— Qu'est-ce en vérité ? dit galamment Poirot.

— Vous comprenez, le jeune monsieur montait juste derrière moi, il m'a prise par la taille... Naturellement, j'ai été saisie et j'ai crié. Si j'avais su, je n'aurais rien dit, naturellement.

— Naturellement ! répéta Poirot.

— Mais il a bondi sur moi comme un chat. Aussitôt, la porte du bureau s'est ouverte. M. le secrétaire est arrivé, le jeune monsieur a filé vers le haut et je suis restée plantée là comme une imbécile. Il fallait bien que je trouve quelque chose à dire... Surtout, ajouta-t-elle en français, à un jeune homme comme cela, tellement comme il faut !

— Alors, vous avez inventé le fantôme ?

— Oui, c'est tout ce que j'ai pu trouver, une forme flottante tout en blanc. C'était ridicule, mais que pouvais-je faire d'autre ?

— Rien du tout. Ainsi tout est expliqué. Je m'en suis douté tout de suite.

Léonie lui lança un regard provocant.

— Monsieur est très intelligent et très sympathique.

— Puisque je suis décidé à ne vous causer aucun ennui au sujet de cette affaire, voulez-vous faire quelque chose pour moi en retour ?

— Volontiers, monsieur.

— Que savez-vous des affaires de votre maîtresse ?

La jeune fille haussa les épaules.

— Pas grand-chose, monsieur. J'ai mes idées, bien entendu.

— Qui sont ?

— Il ne m'a pas échappé que les amis de Madame sont tous des militaires, des marins ou des aviateurs. Il y a aussi des messieurs étrangers qui viennent la voir très discrètement. Madame est très belle, mais je ne pense pas qu'elle le restera encore longtemps. Les jeunes gens la trouvent très séduisante, et je trouve qu'ils parlent parfois un peu trop. Mais ce n'est qu'une idée. Madame ne me fait pas de confidences.

— Vous voulez me faire comprendre que Madame agit toute seule ?

— C'est exact, monsieur.

— En d'autres termes, vous ne pouvez pas m'aider ?

— Je crains que non. Je le ferais si je pouvais.

— Dites-moi, votre maîtresse est-elle de bonne humeur aujourd'hui ?

— Oh ! oui, monsieur, elle est d'excellente humeur depuis qu'elle est ici.

— Vous devez vous en rendre compte, Léonie.

— Oui, monsieur, je ne puis me tromper, je connais le caractère de Madame, elle est tout à fait en train.

— Positivement triomphante ?

— C'est le terme exact, monsieur.

Poirot hocha tristement la tête.

— Je trouve cela un peu dur à supporter. Mais je pense que c'est inévitable. Merci, mademoiselle, vous pouvez vous retirer.

Léonie lui lança une œillade.

— Merci, monsieur. Si je rencontre Monsieur dans l'escalier, soyez certain que je ne crierai pas.

Poirot prit un air digne.

— Ma chère enfant, je suis trop âgé. Qu'ai-je à faire avec des frivolités de ce genre ?

Léonie eut un petit rire amusé et s'en alla.

Resté seul, Poirot redevint grave et tourmenté.

« Et maintenant, se dit-il, au tour de lady Julia. Que va-t-elle dire, je me le demande ? »

Lady Julia entra avec assurance, inclina gracieusement la tête et accepta le siège que lui offrait Poirot.

— Vous désirez me poser quelques questions, m'a dit lord Mayfield. Je vous écoute.

— C'est au sujet de la nuit dernière, madame ; que s'est-il passé une fois votre bridge terminé ?

— Mon mari ayant estimé qu'il était trop tard pour commencer une nouvelle partie, je suis allée me coucher.

— Et ensuite ?

— Je me suis endormie.

— C'est tout ?

— Oui. Je crains de ne pas pouvoir vous donner de renseignement intéressant. Quand ce... (Elle hésita) ce vol a-t-il eu lieu ?

— Très peu de temps après votre départ dans votre chambre.

— Je vois. Et qu'a-t-on pris exactement ?

— Des documents secrets, madame.

— Importants ?

— Très importants.

Elle fronça un peu les sourcils.

— Des papiers de valeur ?

— Oui, madame, ils représentent une très grosse somme d'argent.

— Je comprends.

Il y eut un silence.

— Parlez-moi de votre livre, madame, reprit Poirot.

— Mon livre ? fit-elle, visiblement étonnée.

— Oui. D'après Mrs Vanderlyn, très peu de temps après que vous vous fûtes retirées toutes trois, vous êtes redescendue chercher un livre.

— Mais oui, c'est exact.

— De sorte qu'en réalité vous ne vous êtes pas couchée immédiatement après être montée ? Vous êtes retournée au salon ?

— C'est vrai, je l'avais oublié.

— Et pendant que vous y étiez, avez-vous entendu un cri ?

— Non... Oui... Je ne crois pas.

— Mais voyons, madame, vous ne pouviez manquer de l'entendre étant au salon !

Lady Julia, rejetant la tête en arrière, déclara d'un ton ferme :

— Je n'ai rien entendu.

Poirot haussa les sourcils sans mot dire ; le silence devint embarrassant. Lady Julia demanda brusquement :

— Que fait-on ?

— A quel propos ? Je ne comprends pas.

— A propos du vol. La police doit sûrement faire quelque chose ?

Poirot fit un signe de dénégation.

— La police n'a pas été appelée. C'est moi qui suis chargé de l'affaire.

Elle le fixa, son regard hagard parut se creuser. Ses yeux noirs inquisiteurs cherchèrent à percer le masque impassible de Poirot, ils se baissèrent enfin.

— Vous ne pouvez pas me dire ce que l'on fait ?

— Je ne puis que vous assurer, madame, que je ne négligerai rien...

— Pour prendre le voleur ou pour... retrouver les documents ?

— Leur récupération est d'importance majeure, madame.

L'aspect de lady Julia se transforma ; elle parut soudain ennuyée, distraite.

— Oui, dit-elle avec indifférence, c'est sans doute le principal. (Nouveau silence.) Avez-vous autre chose à me demander, monsieur Poirot ?

— Non, madame ; je ne vous retiendrai pas plus longtemps.

— Merci.

Il lui ouvrit la porte, elle sortit sans lui adresser un regard.

Poirot revint près de la cheminée ; il était en train de ranger les bibelots qui se trouvaient dessus lorsque lord Mayfield entra par la porte-fenêtre.

— Eh bien ? dit-il.

— Cela va très bien. Les événements se dessinent d'eux-mêmes comme ils le doivent.

Lord Mayfield le fixa avec surprise.

— Ainsi vous êtes content ?

— Pas content, mais je suis satisfait.

— En vérité, monsieur Poirot, je ne vous comprends pas.

— Je ne suis pas aussi charlatan que vous l'imaginez, lord Mayfield.

— Je n'ai jamais dit...

— Non, mais vous l'avez pensé ! Peu importe, je ne suis pas vexé. Il est parfois nécessaire d'adopter une certaine attitude.

Lord Mayfield le regarda d'un air de doute. Hercule Poirot le démontait, il avait envie de le mépriser, mais quelque chose l'avertit que ce ridicule petit homme n'était pas aussi futile qu'il le paraissait, car il avait toujours été capable de reconnaître le talent lorsqu'il existait.

— Eh bien ! dit-il, nous sommes entre vos mains. Que me conseillez-vous maintenant ?

— Pouvez-vous renvoyer vos invités ?

— Cela peut se faire... Je n'ai qu'à leur dire que je dois me rendre à Londres pour cette affaire. Ils offriront sans doute de partir.

— Très bien. Essayez d'arranger cela.

— Vous ne croyez pas... ?

— Je suis certain que c'est la plus sage mesure à prendre.

Lord Mayfield haussa les épaules.

— Du moment que vous le dites !...

Il sortit.

## CHAPITRE VIII

Les invités partirent aussitôt après le déjeuner. Mrs Vanderlyn et Mrs Macatta par le train, les Carrington avaient leur voiture. Poirot se trouvait dans le hall lorsque Mrs Vanderlyn prit congé de son hôte de la façon la plus charmante.

— Je suis si désolée de vous savoir dans l'ennui. J'espère que l'affaire tournera bien et je n'en dirai mot à âme qui vive.

Elle lui serra la main et monta dans la Rolls qui devait la conduire à la gare. Mrs Macatta s'y trouvait déjà, ses adieux avaient été très froids.

Soudain Léonie, qui se tenait à côté du chauffeur, revint en courant dans le hall.

— La valise de Madame n'est pas dans la voiture ! s'écria-t-elle.

Après de rapides recherches, lord Mayfield finit par la découvrir dans l'ombre d'un vieux coffre de chêne. Léonie poussa un cri de joie, saisit l'élégant bagage de maroquin vert et se précipita vers la voiture.

Mrs Vanderlyn se pencha par la portière.

— Lord Mayfield, dit-elle en lui tendant une enveloppe, auriez-vous l'obligeance de placer cette lettre dans votre courrier. Si je l'emporte, pour la poster en ville, je suis sûre de l'oublier. Les lettres restent indéfiniment dans mon sac.

Sir George Carrington, qui était d'une ponctualité maniaque, ne cessait de consulter sa montre.

— Il est grand temps, dit-il. A moins de rouler vite, elles vont manquer le train.

— Oh ! s'écria lady Julia, ne faites donc pas tant d'histoires, George. Après tout, c'est leur train, pas le nôtre !

Son mari la regarda d'un air réprobateur. La Rolls partie, Reggie amena devant la porte la Morris des Carrington.

Les domestiques apportèrent les bagages dont Reggie surveilla la répartition dans le coffre.

Soudain, Poirot sentit une main se poser sur son bras.

— Monsieur Poirot, fit lady Julia à voix basse, il faut que je vous parle, immédiatement.

Elle l'entraîna dans le petit salon, ferma soigneusement la porte derrière eux et lui chuchota :

— Est-il vrai, comme vous me l'avez dit, que la découverte des documents est ce qui importe le plus à lord Mayfield ?

Poirot la regarda avec curiosité.

— Tout à fait, madame.

— Si... Si ces papiers vous étaient rendus, voudriez-vous vous charger de les faire remettre à lord Mayfield sans que l'on pose de questions ?

— Je ne suis pas certain de vous comprendre.

— Il le faut ! Et je suis sûre que vous me comprenez. Je suggère que le... le voleur ne soit pas démasqué si les documents étaient rendus.

— Et dans combien de temps le seraient-ils, madame ?

— Certainement dans les douze heures.

— Vous pouvez le promettre ?

— Je le certifie.

Il ne répondit pas ; elle reprit avec insistance :

— Pouvez-vous me garantir que ce vol ne sera pas ébruité ?

Poirot répondit avec beaucoup de gravité :

— Oui, je puis vous le garantir.

— Alors tout peut être arrangé !

Elle sortit précipitamment et Poirot entendit la voiture démarrer peu après.

Il retourna dans le bureau où lord Mayfield l'attendait.

— Eh bien ? dit celui-ci.

Poirot étendit les mains.

— L'affaire est terminée, lord Mayfield.

— Quoi ?

Poirot répéta mot pour mot ce que lady Julia lui avait dit. Lord Mayfield le regarda d'un air stupéfait.

— Qu'est-ce que cela veut dire ? Je ne comprends pas.

— C'est pourtant clair. Lady Julia sait qui a volé les plans.

— Vous ne voulez pas dire qu'elle les a pris elle-même ?

— Certainement pas. Lady Julia peut être une joueuse invétérée, ce n'est pas une voleuse. Mais si elle offre de rendre les plans, cela veut dire qu'ils ont été dérobés par son mari ou par son fils. Or, sir George

Carrington se trouvait sur la terrasse avec vous, reste le fils. Je crois pouvoir reconstruire assez bien les événements de la nuit. Lady Julia est allée dans la chambre de son fils, il n'y était pas ; elle est alors descendue au rez-de-chaussée et ne l'a pas trouvé. En apprenant le vol, ce matin, elle a entendu son fils déclarer qu'il était monté directement dans sa chambre et ne l'avait pas quittée. Elle savait qu'il mentait, elle connaissait le caractère faible du jeune homme, et n'ignorait pas à quel point il était à court d'argent. Elle avait observé son engouement pour Mrs Vanderlyn. Toute l'affaire lui parut alors très claire : Mrs Vanderlyn avait dû persuader Reggie de voler les plans, mais lady Julia est résolue à jouer aussi son rôle. Elle va arracher la vérité à Reggie, s'emparer des papiers et les renvoyer.

— Mais tout cela est absolument impossible ! s'écria lord Mayfield.

— Oui, c'est impossible, mais lady Julia ne le sait pas. Elle ignore ce que moi, Hercule Poirot, je sais. Le jeune Reggie n'était pas en train de voler les plans la nuit dernière, mais bien de conter fleurette à la femme de chambre de Mrs Vanderlyn.

— Quel imbroglio ! Et l'affaire n'est pas du tout terminée.

— Si elle l'est, car *moi, Hercule Poirot, je sais la vérité*. Vous ne me croyez pas ? Vous ne m'avez pas cru, hier, lorsque je vous ai dit que je savais où étaient les plans. C'est pourtant vrai, ils se trouvaient à portée de la main.

— Où cela ?

— Ils étaient dans votre poche, Votre Seigneurie !

Il y eut un silence.

— Savez-vous réellement ce que vous dites, monsieur Poirot ?

— Oui, je le sais. Je sais que je parle à un homme extrêmement habile. Dès le début, le fait, qu'étant myope, vous certifiiez avec tant d'assurance avoir vu une ombre s'enfuir par la fenêtre m'avait troublé. Vous désiriez que cette solution — la solution commode — soit adoptée. Pourquoi ? Plus tard, j'éliminai successivement tous les autres. Mrs Vanderlyn était en haut ; sir George avec vous sur la terrasse ; Reggie avec la femme de chambre sur l'escalier ; Mrs Macatta dans sa chambre. (Celle-ci est à côté de celle de la femme de charge et Mrs Macatta ronfle comme un sonneur.) Il est vrai que lady Julia se trouvait au salon, mais elle croyait visiblement son fils coupable. Restaient deux possibilités : ou bien Carlile n'avait pas mis les papiers sur le bureau, mais les avait sur lui (ce qui n'était pas concevable, car, ainsi que vous me l'aviez dit, il aurait pu les décalquer) ou alors les plans étaient bien là lorsque vous vous étiez approché du bureau et le seul endroit où ils pouvaient se trouver était votre propre poche. En ce cas, tout devenait clair : votre insistance au sujet de la silhouette entrevue, votre certitude de l'innocence de Carlile, votre peu d'empressement à me faire appeler.

« Une seule chose m'embarrassait : le mobile. Vous étiez, j'en avais la conviction, un homme honnête et parfaitement intègre. Cela se voyait à votre souci d'éviter que les soupçons se portent sur des innocents. Quelle était donc la raison de ce vol déraisonnable ? Je me creusai la tête et la réponse m'apparut enfin. Cette crise dans votre carrière, il y a quelques années, les assurances données au monde par le Premier Ministre pour certifier que vous n'aviez entrepris aucune négociation avec la puissance en question... à supposer que cela n'ait pas été strictement exact et qu'il existât un document — une lettre, par exemple — prouvant que vous aviez fait ce qui avait été publiquement démenti ? Ce démenti s'imposait à l'époque, dans l'intérêt de la diplomatie. Mais rien ne garantissait qu'au moment où vous alliez prendre le poste le plus important au gouvernement, quelque stupide écho du passé ne surgirait pas pour anéantir vos efforts passés et briser votre carrière ?

« Je soupçonne que cette lettre était restée entre les mains d'un certain gouvernement et que celui-ci vous a offert de vous la rendre en échange des plans du nouveau bombardier. D'aucuns auraient refusé... mais vous ne l'avez pas fait ! Mrs Vanderlyn fut l'agent de la négociation, elle vint ici, d'accord avec vous, pour faire l'échange. Vous vous êtes trahi lorsque vous avez reconnu n'avoir pris aucune disposition particulière pour la prendre au piège. Cet aveu détruisait le motif que vous aviez invoqué pour l'inviter.

« Vous inventâtes ce vol de toutes pièces, prétendant apercevoir le voleur sur la terrasse... ce qui, par la même occasion, innocentait Carlide, car même s'il n'était pas sorti, le bureau était si près de la porte-fenêtre que le voleur aurait pu dérober les plans pendant que Carlide, occupé au coffre, lui tournait le dos. Vous vous êtes dirigé tout droit vers le bureau, vous avez pris les plans et les avez gardés sur vous jusqu'au moment où, selon un dispositif convenu d'avance, vous les glissez dans la valise de Mrs Vanderlyn. Celle-ci, en retour, vous a rendu la lettre compromettante sous prétexte de vous la confier pour la mettre à la poste.

— Vous avez parfaitement reconstitué toute l'affaire, monsieur Poirot, dit lord Mayfield. Vous devez me prendre pour le dernier des mufles.

Poirot l'arrêta du geste.

— Certes pas, lord Mayfield, dit-il. Je vous prends, au contraire, pour un homme extrêmement intelligent. La pensée m'en est venue subitement pendant notre dernière conversation de la nuit. Vous êtes un ingénieur de premier ordre et je pense qu'il y aura de subtiles modifications dans le mémoire descriptif du bombardier, des modifications si habilement faites qu'il sera difficile de comprendre pourquoi l'engin n'est pas la réussite qu'il devrait être. Une certaine puissance étrangère s'apercevra que ce type d'avion est inutilisable... et sera extrêmement désappointée, j'en suis certain...

Il y eut un silence, puis lord Mayfield reprit :

— Vous êtes beaucoup trop intelligent, monsieur Poirot. Je vous demanderai pourtant de croire une seule chose : c'est que j'ai foi en moi. Je crois être l'homme dont le pays a besoin pour diriger l'Angleterre pendant les jours de crise que je sens venir. Si je n'en avais pas été sincèrement persuadé, je n'aurais pas agi comme je l'ai fait, et j'aurais simplement essayé de concilier le salut de mon âme avec les plaisirs de ce monde. Un truc habile m'a permis de me sauver du désastre.

— Oh ! fit Poirot, si vous n'en aviez pas été capable, vous ne seriez pas un vrai politicien !

**FIN**

IMPRIMÉ EN FRANCE PAR BRODARD ET TAUPIN
7, bd Romain-Rolland - Montrouge - Usine de La Flèche.
ISBN : 2 - 7024 - 0043 - 4